中国文博名家画传

启　功

侯刚　著

目录

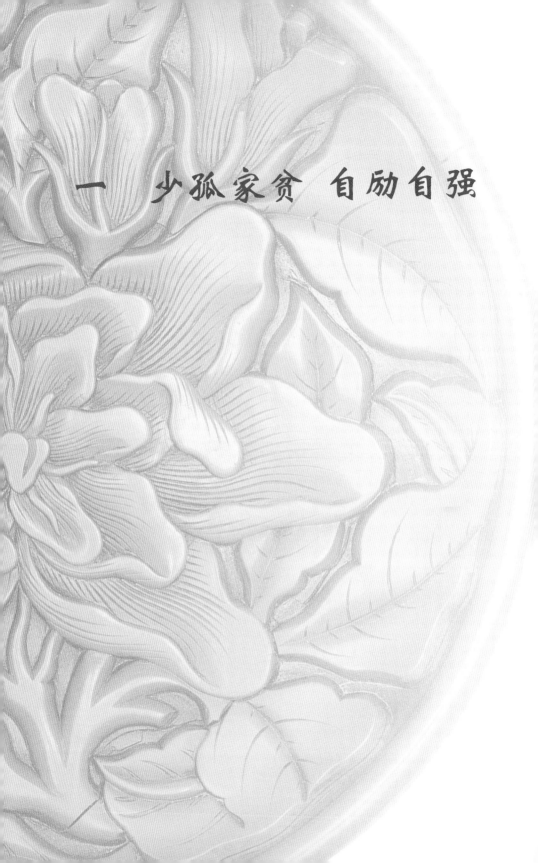

一　少孤家贫　自励自强

（一）没落贵族的身世

启功属于清代皇族的支系，始祖弘昼是清世宗雍正皇帝胤禛的第五个儿子。弘昼的同父异母哥哥、皇四子弘历即是清高宗乾隆皇帝。弘昼于雍正十一年(1733年)被封为和亲王，乾隆三十五年(1770年)去世。据启功讲，清廷的惯例是皇帝的后妃生了儿子，都要互相交换抚养。弘昼是乾隆的生母皇太后抚养成人的，母子之间感情很深。

弘历做了皇帝以后，对弘昼与太后的亲情不能不有所提防。他外出时总要带着自己的生母一同去，一来表示尽孝，二来可以防止生母与弘昼接近，免得他们在背后有什么密谋而发生变故，自己的皇位不保。当然，弘历为了取悦自己的母亲，虽对弘昼有所戒备，还是尽量照顾。

《清史稿·诸王传》记载，"乾隆间预议政，弘昼少骄抗，上每优容之"。有一次弘昼和皇帝在一起监考八旗子弟，到了中午，弘昼请皇帝先去吃饭，弘历不去，弘昼脱口而出："难道你怕我和他们有什么密谋么？"弘历听了也没有说什么。后弘昼觉得自己出言不慎，冒犯了皇上，于次日前去谢罪，弘历没有计较，说："我要计较，你早人头落地了。"与他和好如初。虽然史书是为了表现皇帝的宽仁，但也从一个侧面反映了弘昼不一般的地位。

弘历不仅对五弟如此宽容，还把父皇旧邸雍王府（后改做庙宇雍和宫）里留下的资财全部赏赐给这个弟弟，使弘昼"富于他王"。这一切恐怕都得益于太后的关照。

弘昼刚过中年就病故了。他的儿子永璧承继了和亲王的爵位，以后子孙世代降袭，累降至镇国公。

柳遠疎放
無拘檢時人或
謂之柳癲好彈棊
耽酒時有文咏每
告返家人或問洗
慰若日無所聞縱
閱之不辭

成親王

毓隆敬臨

男毓隆謹繪

一 启功祖父毓隆的墨迹

据《清史稿·皇子世表》对世宗系的记载：弘昼第二子永璧，于乾隆三十五年(1770年)袭和亲王；永璧第二子绵循，于乾隆四十年(1775年)袭和郡王；绵循第三子奕亨，于嘉庆二十二年(1817年)袭贝勒；奕亨第五子载崇（启功的高祖父），于道光三十年(1850年)受封一等辅国将军；载崇第二子溥良（启功的曾祖父），光绪十二年(1886年)受封奉国将军。

自永璧以后，由于是降袭制，爵位逐代降低。到了载崇这一代，因他是侧室所生，没有承袭爵位，还被迫分出府门，只是作为宗室被授予较低的将军的爵位。到溥良这一辈，受封爵位的俸禄连养家都不够，只好靠教家馆来维持生活。

溥良（1854～1922），字玉岑。他意识到祖上的辉煌已经不能对自己有任何帮助了，必须靠自己努力谋取功名。由于有爵位不能参加科举考试，他就向朝廷请求革除封号俸禄，作为白丁走上科举入仕之路。溥良破釜沉舟的努力终于使他考取了功名。他曾任江苏和广东学政。据《清史稿·部院大臣年表》记载，他在朝廷中先后担任过理藩院左侍郎、户部右侍郎、督察院满左都御史、礼部满尚书、礼部尚书。

启功的祖父名毓隆（?～1923），字少岭，在溥良的影响下，也走科举的路。他是翰林出身，善书法（图一），为典礼院学士，曾任四川学政、主考。

值得一提的是，溥良任督察院满左都御史时，担任这个职务的汉左都御史，正是以后临危受命、重振了京师大学堂的管学大臣张百熙。两人谁也不会想到，几十年以后溥良的曾孙启功，在由京师大学堂发展而成的北京师范大学和北京大学都执过教，声望远在他们之上。

（二）在长辈关爱下的童年生活

启功的父亲名叫恒同，十七岁时和蒙古族姑娘克连珍结婚。第二年（1912年）启功降生。在启功刚刚一周岁时，父亲就去世了，启功便跟随曾祖父和祖父生活。

启功三岁时，为了祈福、长寿，祖父毓隆让他拜雍和宫的一位老喇嘛为师，成了一个记名的小喇嘛，接受过班禅大师的灌顶，取名"察格多尔札布"（是金刚佛母保佑的意思）。雍和宫原为清世宗胤禛的府邸，雍正三年（1725年）改为雍和宫，后成为喇嘛寺，前殿供奉有黄教祖师宗喀巴的铜像，这尊铜像就是启功的师傅募集善缘铸造的。每年春节，启功都去雍和宫参加佛事活动。至今他还能背诵许多经文（图二）。

二　1989年雍和宫大佛开光之日，启功又坐在当年坐过的垫子上背诵经文。

辛亥革命之后，清帝逊位，启功的曾祖父溥良不愿住在京城，以示不再过问政治。溥良有一位门生名叫陈云诰，也是翰林，家为河北易县的首富。陈云诰在易县购买了房舍请恩师居住，于是启功的曾祖父携家人迁居易县。启功时年三四岁，也随着在易县度过了他的童年。

在河北易县住了几年，1920年，启功八岁时随曾祖父回到北京，几十年来再没有去过易县。在他的记忆中，当时北京与易县的交通很不方便，要从前门火车站乘京汉线的火车，在高碑店下车，再等去易县的车。从北京到易县有时要用将近一天的时间，不像今天只要一个多小时就可到。他记得那时身体不太好，经常到县城北门街孔小月（名中医孔伯华的父亲）医馆去看病、吃中药，所以至今有病不愿看中医吃中药。启功还记得，易县出产山核桃，肉少皮厚，民间艺人在山核桃上雕刻，作为小工艺品出卖。艺人在两个核桃上就可以刻出八仙过海的图案。有的艺人手艺精湛，刻的人物栩栩如生。民国七年(1918年)时，一块银圆可以换十二吊铜钱，刻一对核桃要十吊钱，将近一块银圆，一般人家是买不起的。

从易县回来后，启功曾住在鼓楼附近前马厂胡同的姨母家（图三）。以后自己租了房，迁居到东城区黑芝麻胡同14号（图四），一直到1957年。母亲和姑姑都是在那里过世的。"反右"运动以后，启功到学校去住，老伴住到西城区小乘巷内弟家，随后内弟一家接纳了他们夫妇。20世纪80年代初启功才搬到北师大教工宿舍。

由于特殊的家庭环境，启功自幼受到严格的启蒙教育和良好的道德熏陶，继承了发愤图强、艰苦奋斗的精神，养成了谦虚谨慎、勤奋好学、乐于助人、尊敬师长的美德。启功回忆，他小时候受的是封建家庭的束缚式教育，家教很严，每天早晨起床后，首先要给曾祖父和祖父请安。对待长辈客人要讲礼貌，对待年幼伙伴要谦让，这些教导对他一生做人产生了深远影响。启蒙教育是从姑姑那里学习认字开始。姑姑把纸裁成小方块，写上人、手、足、日、月、天等常用字，每个方块上一个字，每天教新字，一百张包一包，记住学习顺序，念的时候就成一套。长大一些开始练习写字，描红模，写影格。祖父写出字来，让他在上面蒙上一层纸，照着下面的字影写，叫做写影格。那时候为什么要写字？不是为了书法艺术，而是为了巩固已经认识的字。上私塾以后，每天要写一篇大字，后来上小学，也有习字课，都是为了巩固所认过的字。

启功回忆，小时候他看见祖父教叔叔读书的情景，可以用"念、背、打"三个字来形容。叔叔自己先念，然后在祖父面前背过身背书。叔叔被揪着小辫背书，心里怎能不紧张，背错了就被祖父打一

三　前马厂胡同西口

四　黑芝麻胡同一角

下。但是祖父对他却没有用这种严格的办法，而是用讲故事的方式教他读书，讲《战国策》里孟尝君到秦国去游说的故事，讲《孟子》里孟子与梁惠王、齐宣王的问答等等。祖父选了一些有趣的故事编成教材，引起了他读书的浓厚兴趣。当然这教材内容比较单一，学起来还不过瘾，不能满足小孩子求知的欲望。

祖父不准他看闲书，如《三国演义》、《水浒传》、《西游记》都不准看，认为他还不到看这些书的程度。祖父书架上有许多书，如《资治通鉴》等，他又看不懂。街上偶然有卖唱本的背着书匣子吆喝"买唱本，看书"，听见吆喝声，他就跑出去看一看，选两本回来，先要给大人看，允许买就买下，不许买就退回去。他记得小时候只准买过一本图文并茂的小书《猪八戒吃人参果》。

祖父是启功艺术爱好的启蒙者。启功回忆小时候曾看见祖父信手在扇面上用笔墨点缀些虫草山水，就使之成了生动的艺术品。这情形使他非常震撼，他便暗下决心将来成为一名画家，做到和祖父一样。启功现在还珍藏着祖父的遗墨。

启功从小就喜欢小动物（图五、六），因为妈妈和姑姑都喜欢小猫、小狗。他养过小猫、小狗、小兔子、蛐蛐、金鱼等各种小动物。他看见有人养鸟很好玩，也想养鸟，但读书人家的孩子不准提笼架鸟。他就养了一只小雏鸡，也装在笼子里，拿到树林里和养鸟人比。养鸟人见他到来，纷纷提起鸟笼远远躲开他。他当时莫名其妙，后来才知道人家是怕画眉、百灵一类名贵的鸟学鸡叫，鸟就不值钱了。启功甚至还养过小田鼠。他看见街上有耍田鼠的艺人，带着白鼠、田鼠。艺人有一个小架子，上边装一个可以转动的笼子，架子上有一个小梯子通向笼子门，小田鼠顺着梯子爬进笼子，艺人一拍笼子，小田鼠就在笼子里飞快地爬，笼子也随着转动起来，很好玩。艺人吹起唢呐，招引大大小小的孩子聚来看表演。那时候表演一回要收几个铜子儿，有时还可以叫到家里去表演。启功属鼠，他也养了一只小田鼠，喂熟以后装在袖筒里玩。有一天一位长辈到家中做客，他掏出了田鼠，把长辈吓了一大跳，他却哈哈大笑，得意地跑了。

启功虽然在很小时就失去了父亲，然而有曾祖父、祖父的关怀

五　晚年的启功依然十分喜爱小动物。图为启功和爱犬的留影。

六　1998年启功访问日本奈良东大寺时与小鹿"亲密接触"

和教导，有母亲、姑姑的疼爱和照顾，度过了一个美好和愉快的童年。

（三）备尝艰辛的少年时代

1922年，启功十岁时，曾祖父因病在大年三十晚上去世，正月初四曾祖父的一位兄弟媳妇去世，正月十八一位叔祖去世。第二年三月初三，续弦的祖母去世（祖母早几年已不在世），七月初七祖父也与世长辞了。真是"命途多舛"，家中一位接一位的亲人连续故去，只有年幼的启功承重孝，做主丧人。家业因偿还债务而破产，又卖掉家藏书画作殡葬费用。当时母亲克连珍和未出嫁的姑姑恒季华年仅二十余岁，便挑起家庭生活的重担。在满族家庭中，未出嫁的姑娘地位是很高的。恒季华为了教养这一线单传的侄子成人，毅然终身不嫁，并把自己看作这个家庭中的男人（图七）。启功也称姑姑为"爹爹"（按满族人的习俗"爹爹"是叔叔的意思）。但是，在旧社会，

七　20世纪50年代启功和母亲、姑姑、妻子的合影。自左至右：
　　启功、夫人章宝琛、母亲克连珍、姑姑恒季华。

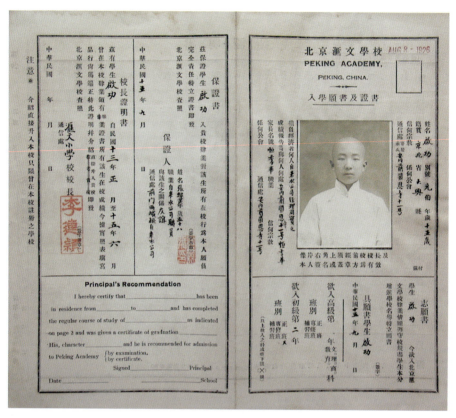

八　启功在北京汇文小学读书时的入学志愿书和证书

这样孤儿寡母的家庭，没有经济收入，生活是相当贫苦的。他的曾祖父和祖父的一些门生看到启功一家生活的艰难，把对老师的回报都集中在启功身上，经常周济他们。祖父在四川当主考时的门生邵从恩先生和另一位门生唐子秦先生共同募捐筹钱，然后把筹到的钱买了公债，每月可拿到三十多块银圆的利息，亲自交到启功家中，这些钱勉强可以维持一家生活。邵、唐二位先生鼓励他努力学习，并表示愿意供他上大学、出国留学。在这样的情况下，启功学习也很刻苦努力，生怕辜负了他们的期望。

1924年，启功考入了位于崇文门内马匹厂（后改为盔甲厂）的北京汇文小学（图八）。这是一所教会学校，校长和老师都是牧师，教学方式和学习内容与在家中和私塾都大不相同。上课时先生讲学生听，一个字先讲偏旁后解字义。除学习语文外，还有算术、外语，还要读《圣经》。学生可以向老师提问题，进行交流，能引起学习兴趣，使他的思想境界开阔了许多。当时邵、唐二位老先生对启功的学习非常关心。邵先生怕他贪玩，要求他每个星期日带上作业到邵家去看一看。有时启功贪玩忘记去他家时，邵先生便亲自登门到启功家里检查作业。看见启功学业有进步，他们都感到欣慰。一次唐先生看见启功作的诗，竟激动地流下了眼泪，加以鼓励和指导。

小孩子在心情舒畅的氛围里很容易适应环境，不但学习了新知识，还结识了新朋友，学业日渐长进。当年启功在小学时贾兰坡、王大珩都是他的好朋友，他和王大珩还是同桌。小学毕业后，启功和王大珩虽在一个城市学习和工作，但因为工作性质不同，几十年未再见过面。1994年在一次春节联欢会上，离别七十年后的启功与王大珩偶然相遇，两人一眼就认出了对方，立即拥抱在一起。启功与贾兰坡因工作性质相近，经常有交往（图九、一〇）。

启功小学毕业以后，又升入汇文中学的商科（图一一～一四）。为什么学商科？他是想尽快掌握一技之长，早些找到工作好挣钱养家。在当年的同学录中对启功有这样的描述："元伯启功者，世居旧都，睹其貌，观其服，知其然也。言语诙谐而恣肆，举止倜傥而乖僻，见者疑其狂，实则笃信坚贞，恺恻之士，余独知之焉。每寄意于诗词书画，时有慷慨之音，荒寒之韵，流露其间，则可见其不仅爱好已耳。无能遁世，又不能合污同流，故宁学商，所以苟全性命而已。"他深知学习的机会来之不易，经常与同窗好友互相勉励，力求上进。他曾写道："每见课余之暇，三五相聚于藏书之室，切磋琢磨，同德共勉！"

但是，世态炎凉，人情冷暖，启功家中没有产业，毫无积蓄，经常遭到豪亲贵戚的白眼。那些人不同他们来往，怕被他们沾上。经济上和精神上的压力，使他的学习始终处在矛盾与不安的情绪中，他读不下去了。1931年，启功中学尚未毕业便辍学了。他最大的愿望就是找到一份工作挣钱，好侍奉母亲和姑姑。

启功辍学之后，一面教家馆挣些钱补贴家用，一面急于谋求工

九   启功与七十年后又相聚的小学同桌好友王大珩亲切交谈

一〇   启功为贾兰坡祝寿

一一　汇文中学旧景（上为礼
　　　堂，下为学生宿舍）

一二　启功在汇文中学
　　　时的留影

一三　启功在汇文中学时与同学的合影(标箭头者为启功)

一九三一级级史

密斯脱启功

唯岁在上章敦牂元英之季。汇文学校辛未年乘。剞劂在即。高级三年徵记。爰为是文。曰。大哉庠序之教也。三代以还。虽时危世替。未见废弛。盖美俗之成。惟赖吉士表率。英才之育。尤为国政导源。然小学始教。要在广施。而大学专攻。非能偏及。是以进德之基。深造之本。舍中学其焉归。入学既久。效已可睹。成兹九仞之山。端惟一篑之积。则高级三年。诚难忽视也。故于毂。则三育并施。于学。则四维互励。毂学相长。颇有可述者焉。若夫颜志典坟。驰情词赋。经史子集。追缅古人。沟通万国。逐译殊音。每有佳章妙製。莫不丰采彬彬。嘉名所繫。首属乎文。至若新进文明。物质是倘。骎骎列强。恃此而振。藉彼流传。补我放失。执柯伐柯。取则不远。故今日穷理之学。尤为当世所望。至于筹科。货殖是究。鸥夷用越。阳翟得秦。谁曰居积可鄙。庶与管仲同功。东西志士。强国有计。妙策所由。端为经济。功也不才。忝参一席。窃希孟子之言。通功易事。逃名域中。了无高翼。此三科中。数十百人。奇才杰出者。不可胜计。而成绩因之斐然可观矣。每见课余之暇。三五相聚于藏书之室。切磋琢磨。同德共勉。为五年率。攘攘熙熙。相观而善。眼则或为指陈当务之文。或作坚白纵衡之辩。或出滑稽梯突之言。或好嬉笑怒骂之论。往往有微旨深意。寓於其间。凡此四者。求之刊誌。高级三年。亦备之矣。而体育一端。尤其精进。于此季中。报记口传。有碑藏道。凡彼高才。众人共识。何劳鄙人再为缕赘哉。或曰。方今世之学校也。颓风陋习。多失教育之本旨者。子校其有之乎。予曰。何谓也。曰。予闻今之治学者。唯利是趋。唯弊是营。岁月忽忽。而泄泄以误少年。父兄诸谞。而貌貌以负重託。作怪民为先导。听众论如蝇声。遂过失而助之长。见善举而损其成。营饰其表。意在多金之获。支离其说。专蔽善性之明。教者客延饱学。滥竽皆为奇货。学者不钦正道。执绮襦是高风。甚者日高坚卧。谬託南阳之士。月明走马。公为濮上之行。酒食争逐以为常。歌舞倡和以为课。竞习顽强。雅名磊落。翻覆算横谋。阴险能蛊惑。犊儿善讼。举国若狂。傲逸盘游。訹遗遐邈。教育之弊。乃若是乎。予笑而应之。曰。君将为今学之董狐耶。前所云云。亦或不谬。然吾校固无是也。惟勉钦明德。期我全人共奋图之。

—启功拜志—

一四　启功在汇文中学时撰写的年级史

作机会。在未谋到稳定工作的大约两年的时间里，为了多掌握些知识，经他家的一位老世交介绍，启功跟随戴姜福(绥之)先生学习中国古典文学，习作诗词文章。

（四）打下传统文化的坚实基础

1. 绘 画

启功在小学和中学读书期间，拜贾羲民先生和吴镜汀先生为师学习绘画，并发愤苦练毛笔字，且日有长进。他作为书画家的基础也是在这个时期打下的。

启功从小就酷爱绘画。他曾说，小时候看到祖父书房的墙上挂着叔祖画的一大幅山水画，笔墨精细，意境深远，很是喜爱。又常见祖父拿过手头小扇，画上竹石花卉，几笔而成，感到非常奇妙，渐渐萌发了长大之后做一个画家的愿望。

启功十五岁时拜贾羲民先生为师学画。贾先生一家都是老塾师，博通书史，作画的技法虽不甚精，但却有非凡的见识。贾先生作画不讲究点、皴之类，不拘定法的思想与溥心畬不谋而合，对启功的画法颇有影响。

贾先生知道他想多学些作画的技巧，就把他介绍给著名的传统画家吴镜汀（图一五）。吴先生教画法极为耐心，每每启功画了一幅有进步的作品，拿去请先生指教时，总是得到先生的鼓励。吴先生告诉他，十八九岁正是艺事猛进的时候，应当努力自勉，并针对他的作品，专门把极关重要的窍门指出，每次指教都使他有新的领悟，再画时又进一步提高。有时吴老师在讲到某派的画法时，还随手表演一番，确切地给他指出某家某派的特点。时隔几十年，启功还经常回忆起跟随吴老师学画的情景。

在汇文小学读书的时候，启功的习作就曾被学校作为礼品赠送友人（图一六）。

2. 书画鉴赏

贾羲民先生虽然不是作画的大名家，但对于书画的鉴赏极有素

一五　吴镜汀先生(上为
　　　吴老青年时照片,
　　　下为吴老晚年作
　　　画时留影)

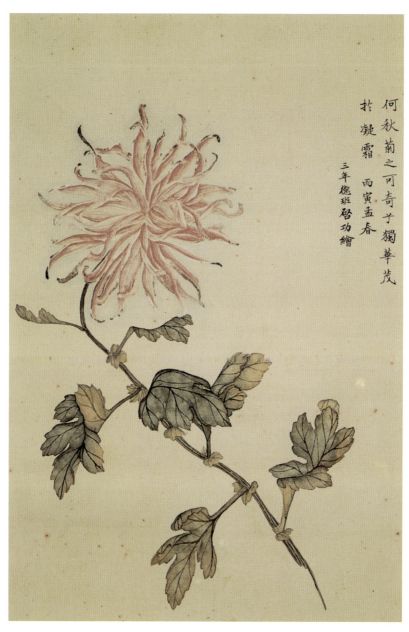

何秋菊之可奇兮獨華茂
於凝霜 丙寅孟春
三年德班啟功繪

一六 启功小学三年级时的绘画作品

养。贾先生常带启功到故宫博物院去看那里陈列的古字画，观摩古代的名家作品，从而学习、借鉴他们的方法。

当时故宫博物院开放了好几个书画陈列室，除了钟粹宫有些玻璃陈列柜之外，别的展室或者把画幅直接挂在墙上，或者把卷册摊在桌子上盖一层玻璃板，甚至干脆连玻璃板也不盖，可以使观摩者近距离观看欣赏。当时故宫门票是一块银圆，在每月一、二、三号减收为三毛钱。每月月初总要换展品，撤去展出多时的，换上没有展出过的。重要的作品展出时间就长一些，如范宽的《溪山行旅图》、郭熙的《早春图》等，都是启功在那时一再观摩过的。这样的展览方式，对启功这样的穷学生来说有极大的好处：不仅门票便宜，还可以看到更多的新展品，又能对精品长时间琢磨。

有时老师和一些前辈随看随加评论，在书画鉴赏知识上也使启功受到不少启迪和教育，给他后来的书画鉴定打下了基础。他回忆道："我现在也忝在'鉴定家'行列中算一名小卒，姑不论我的眼力、学识上够多少分，即使在及格线下，也是来之不易的。这应当归功于当时故宫博物院经常的陈列和每月的更换，更难得的是我的许多师长和前辈们的品评议论。有时师友约定同去参观，有时在场临时相遇，我们这些年轻的后学，总是成群结队地追随在老辈之后。最得益处是听他们对某件书画的评论，有时他们发生不同的意见，互相辩驳，这对于我们是异常难得的宝贵机会，可以从中得知许多千金难买的学问。如果还有自己不能理解的问题，或几位的论点有矛盾处，不得已，找片刻的空闲，向老辈问一下。得到的答案即使是淡淡的一句，例如说'甲某处是，乙某处非'，便使自己的疑难迎刃而解，在我脑中至今往往还起着'无等等咒'的作用。"

3．书　法

启功是我国当代著名的书法家。但他经常对人说，他的职业是教师，书法只是业余的爱好，从未拜师专门学习过。他回忆自幼开始学习书法时，也不外描红模、写仿影、临字帖，只是随时应付功课、为了识字，并没有学画那样的"志愿"。启功十七八岁时，一次有位长辈命他画一张画，并说要裱装之后挂起来，他感到十分光荣。

但那位长辈又对他说:"你画完不要落款,请你的老师代你落款。"这对他刺激很大。从此启功暗下决心,发愤练字,几十年来刻苦钻研,始终不渝,今日终成大家。

4．古典文学

启功跟随戴姜福先生学习古文时大约十八岁。戴先生对他说:"你已这么大年纪,不易再从头诵读基本的经书了。"教给他一个有效的途径,就是拿没有标点的木版古书,先从唐宋古文读起,自己点句。每天给他留的作业有厚厚的一叠,在灯下点读,理解上既吃力,分量上又沉重。开始时他想:"这些句没经老师讲授,我怎能懂呢?"老师拿到作业之后,看到他的点句,顺文念去,点错的地方给他指出,并一一加以解释。这样,在老师的"追赶"式的帮助下,他读完了一部《古文辞类纂》,又读《文选》,返回又读《五经》。他从似懂非懂,到逐渐懂得读书的要领:不懂的地方怎样查资料;加读一遍又会有更深一步的理解;先了解概貌,再逐步求细节等。掌握读书要领之后,他读书的兴趣愈加浓厚了。以后,他又买了一部《二十二子》,先读了《老子》、《列子》、《庄子》、《韩非子》、《吕览》、《淮南子》等。戴老师喜欢《说文》、地理、音韵诸学,又选常用字若干,逐字讲解这些字在"六书"中的性质和原理,使他如获至宝。戴先生谆谆嘱咐他要常翻《四库简明目录》,用《历代帝王年表》作纲领,了解古代历史的概貌,再逐渐去读《资治通鉴》。戴先生还经常出题命他作文,并教导说:在行文上要先能"连",懂得"搭架子"。用现在的说法,就是作文要讲究逻辑性,文章要有主题,要层次分明。至于作诗、填词也经常练习,按时交出习作,老师再给予修改。由于老师的精心培育,加上他刻苦自学,从那个时候起,启功便在中国古典文学和历史方面打下了坚实的基础。

从十岁到二十岁这十年间,少年时代的启功遭遇了太多不幸。那么多疼爱他、与他感情深厚的亲人接连故去,使他的精神蒙受重创。不仅如此,这些亲人还是他的生活依靠,没有了他们,孤儿寡母无依无靠,举步维艰。启功因家境贫困没能上大学,甚至连中学都没有毕业就辍学了,为的是早日工作,养家糊口。

　　然而，在不幸中启功也感受到了温情。其中既有母亲、姑姑的百般呵护，也有长辈故友的仗义相助。艰难的环境不仅养成了他虚心求教的学习态度，磨炼了他刻苦钻研的学习毅力，也给了他师从百家、不拘一格地学习传统文化的机会，使启功兴趣广博，且多有建树，奠定了他以后做学问的基础。更重要的是，启功从少年时代就直面世态炎凉，感悟人生甘苦，学会了与人为善、知恩图报，逐步懂得把人生作为一种修行。抱着这种态度，在以后漫长的日子里，无论是千夫所指，还是众口称赞，他都能够安忍胜解脱，乃至达到无所住而施惠于人的境界。

　　当几十年后的启功赞助众多像他当年一样无助的求学少年时，他首先想到的是将此功德归结于曾经帮助过他的恩师。

　　"从来造化本无私"。多变的环境没有让启功成为一名商人，却使他成为一位集诗、文、书、画、文物鉴定多方面成就于一身的学者，更使他成为一位德高望重、禅悦人生的仁者和智者。

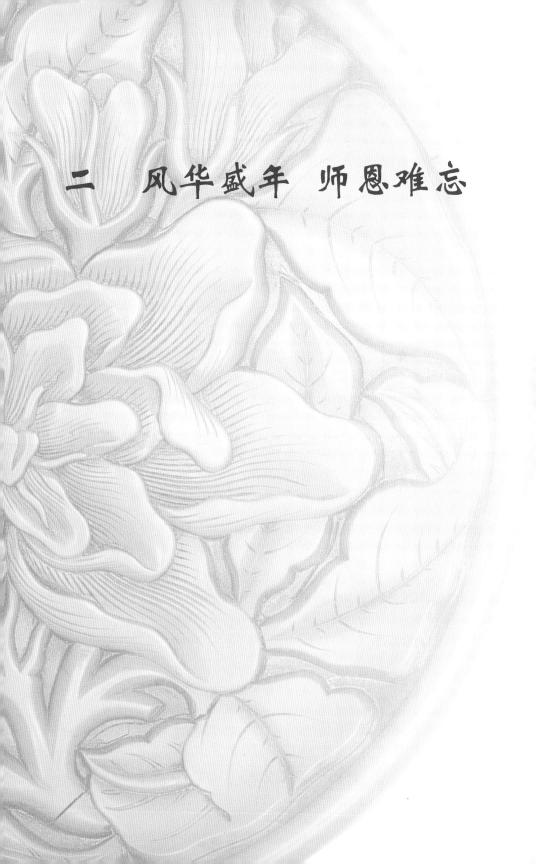

二　风华盛年　师恩难忘

（一）三进辅仁　幸遇恩师

启功不止一次向周围朋友和后辈学生回忆他是如何认识了陈垣先生，回忆他聆听恩师陈垣先生的教导、受到先生耳提面命的往事，他特别强调："'恩师'这个'恩'字，绝非普通恩惠之'恩'，而是再造我的思想、知识的恩谊之'恩'！"

1933年，启功急于求得一个职业维持生计，以奉养母亲和姑姑。他的曾祖父的一位"门生"傅增湘先生拿着他的作业，把他介绍给辅仁大学校长陈垣先生（图一七、一八）。

陈垣（1880～1971），广东新会人，字援庵，我国著名的史学家、教育家。他是清末秀才，青年时创办光华医学院，与人合办《震旦日报》，民国时期曾任教育部次长、辅仁大学校长，新中国成立后任北京师范大学校长、中国科学院历史研究所第二所所长、北京市政协副主席、全国人大常委等。

傅增湘（1872～1949），字沅叔，号润元，四川江安人，是我国著名的教育家，也是近代著名的版本、目录、校勘学家和藏书家。他是光绪年的进士，早年曾任直隶提学使，创办天津北洋女子师范学堂和京师女子师范学堂。1917年任教育总长，1919年因抵制北京政府罢免蔡元培的命令被免职。后又任故宫博物院图书馆馆长，从事图书收藏和版本、目录研究。他创办了私人藏书楼，取名"藏园"，自署藏园居士，从国内外搜集购买了大量古籍，藏书二十余万卷。所藏书中宋元刊本、名家抄校本精粹数百种及手校书1.6万余卷，均已贡献给国家，现藏于国家图书馆。傅先生任教育总长时陈垣任教育部次长，傅离职后陈垣代理总长。他们又共同参与了故宫博物院图书馆的筹建工作。英敛之先生创办辅仁大学，推傅先生为董事长、陈垣为校长，傅、陈两人因而过从甚密。

一七　陈垣先生在书房

一八　北京西城区兴华
　　　胡同陈垣故居

一九 傅增湘先生

　　傅增湘先生（图一九）知道陈垣善于发现人才和培养人才，决定把启功推荐给陈垣，便带着启功写的文章，专程去找陈垣。启功第一次呈上习作就得到了陈垣的夸奖，陈垣认为他小小年纪已经写作俱佳，对他十分喜爱，爱称他为"小孩"。后来这个雅称在启功的同辈人中传开了，大家也戏称他为"小孩"。傅增湘得到陈垣的首肯后，高兴地对启功说："援庵说你写作俱佳。他的印象不错，可以去见他。"并嘱咐启功说："无论能否得到工作安排，你总要勤向陈先生请教。学到做学问的门径，这比得到一个职业还重要，一生受用不尽的。"启功谨记这个嘱咐，去辅仁大学（图二〇、二一）见陈垣先生。初次见面，是在辅仁大学的校长办公室。这次见面，是启功一生中最重要的一次转折。他不仅找到了工作，而且遇到了爱护他和培育他成长的导师。眉棱眼角肃穆威严是陈垣给启功的第一印象，难免让他这个尚未步入社会的中学生有些害怕，不知该说什么。陈垣先生一句和蔼的话令启功终身难忘："我的叔父陈简墀和你的祖父

二〇　辅仁大学主楼

二一　辅仁大学后花园

是同年翰林，我们还是世交呢！"他们就是这样开始了近半个世纪的师生之交。

见面后，陈垣校长就安排他到辅仁大学附属中学担任"国文"教师，讲授初中一年级"国文"（图二二～二四）。从此，启功始终没有离开过教育岗位，为祖国培养了一大批优秀人才。他认为"为人师表"是世界上最高尚的事。

启功到辅仁大学附中教书，按照陈垣先生的教导，兢兢业业，认真备课，认真教学。他的"国文"课讲得很生动，学生很喜欢听。

中国科学院资深院士谢学锦先生，就是启功在辅仁大学附中教过的一名学生。他回忆道："我放眼看世界就是在初中一年级国语老师启功的熏陶下开始的。启功老师讲课生动，引人入胜。在他的熏陶下，我对文学，包括古代的和近代的，中国的和外国的都发生极大兴趣。不仅课本上所选的诗、词、文、赋及小说片段等等，我用心去阅读，欣赏，而且还到学校图书馆去大量借阅各种文学书刊。"

对于教中学，启功已经感到很满足了，因为总算有了一个职业。但是，事实并不如想象的那样顺利。当时辅仁大学附中的校长认为启功中学尚未毕业，怎么能教中学。他不是凭才能用人，而是凭学历用人，便以"不合制度"为由，把启功解聘了。工作不到两年就失业，这对于初次步入社会的启功来说，无疑是一个很大的打击。

1935年，陈垣又安排启功在辅仁大学美术系担任助教（图二五～二七）。掌管美术系大权的教育学院院长还是那位中学校长。两年后启功再次被他以"学历不够"的理由解聘，启功又失业了。当时正值北平沦陷时期，在日伪控制下的北平，物价飞涨。为了生活，启功不怕辛苦，分别在两家人家教家馆，辅导他们的孩子准备考小学和中学，以换取微薄的报酬维持全家生活。他闲时集中精力在家中读书，或研究书法绘画。这时他的绘画作品在社会上已小有名气（图二八），间或作画卖画，以补贴家用。

陈垣得知启功再次被解聘的消息后，坚信启功是一个有真才实学的青年，不应被埋没。他又向困境当中的启功伸出关怀的手，再次安排启功回到辅仁大学。1938年秋季开学后，陈垣聘启功教大学

二二　辅仁大学附中旧景之一

二三　辅仁大学附中旧景之二

職教員姓名錄

姓名	字	籍貫	學歷	科目	年月
郭宴廷		河北淶縣	輔仁大學畢業	國文	二十三年九月
啟功	元伯	北平	輔仁大學畢業	國語	二十三年九月
籌永昌	元	安徽青陽	師範本科畢業	勞作	二十三年九月
程萬里	彼鵬	河北固安	輔仁大學修業	英文	二十年九月
楊承祿	綏後	湖北武昌	輔仁大學畢業	歷史	二十年九月
楊喜齡		黑龍江景星	輔仁大學畢業	算學	二十一年九月
董世祚		四川巴縣	輔仁大學畢業	算學	二十一年九月
盧逮曾		山東萊燕	北京大學畢業	地理	二十年九月
劉儒林	雅齋	河北霸晉	北京大學畢業	地理	二十一年九月
劉國聰		河北天津	輔仁大學修業	生理衛生	二十年九月
鞠恩樹		河北	國立師範大學理學士	體育	二十年九月

以上初中

二三

二四　辅仁大学附中部分教师名单，启功名字下刊年月为离开学校的时间。

二五　启功在辅仁大学
　　美术系任教时留影

二六　辅仁大学美术系教学楼

二七　启功在辅仁大学任教时墨迹

二八　启功 1933 年所绘《窥园图》

窺園圖　癸酉冬日寫似授盦世文雅令啟功　元伯學

一年级的"普通国文"。这是陈垣先生亲自掌教的课程，终于再也不会有人解聘他了。要不是陈垣先生慧眼识才，一而再、再而三地聘用，就不会有今天的大学问家启功！

（二）耳提面命　记忆犹新

陈垣先生以身作则，言传身教，对启功做人处事、研究学问、教书育人等各方面的影响非常大。

作为辅仁大学的校长，陈垣为了给学生以坚实的语文基础，自己编选课文，随时召集教员研究和指示教学方法。从一篇文章的章法，到一字一词的用法，他都亲自给予指点和示范；从一个学派的思想体系，到某些文章的风格特点，他都具体地加以分析和指导。不仅如此，陈垣还亲自教一个班的"国文"课。他除批改学生的作文外，自己也经常写一篇，当作范文公布出来。启功认为这种做法，不只是评出学生作文的长短，也是对教师的考核，所以他教课和批改作业都很认真，经常受到陈垣先生的鼓励和表扬。

启功回忆说："陈校长让教务处在走廊里安装了许多布告栏，有玻璃门，可以上锁，除了贴布告以外，多数用来展示学生作业。如让各班教师选出几篇较好的学生作文，认真批改圈点，写出评语，在布告栏公布出来，定期更换，供师生观摩比较，从中汲取教益。"

启功曾写过《夫子循循然善诱人》和《"上大学"》等回忆文章，追述他接受陈垣先生"耳提面命"的教导，"记忆犹新"，综合为以下九条：

（一）教一班中学生与在私塾屋里教几个小孩不同，一个人站在讲台上要有一个样子。人脸是对立的，但感情不可对立。

（二）万不可有偏爱、偏恶，万不许讥诮学生。

（三）以鼓励夸奖为主。不好的学生，包括淘气的或成绩不好的，都要尽力找他们一小点好处，加以夸奖。

（四）不要发脾气。你发一次，即使有效，以后再有更坏的事件发生，又怎么发更大的脾气？万一发了脾气之后无效，又怎么下场？你还年轻，但在讲台上即是师表，要取得学生的佩服。

（五）教一课书要把这一课的各方面都预备到，设想学生会问什么。陈老师还多次说过，自己研究几个月的一项结果，有时并不够一堂时间讲的。备课不但要准备教什么，还要考虑怎样教。哪些话写黑板，哪些话不用写，易懂的写了是浪费，不易懂的不写则学生不明白。黑板上的字，不能潦草，也不要写到黑板下框处，避免坐在后面的学生看不见。

（六）批改作文，不要多改，多改了不如你替他作一篇。改多了他们也不看。要改重要的关键处。

（七）要有教课日记。自己和学生有某些优缺点，都记下来，包括作文中的问题，记下以备比较。

（八）发作文时，要举例讲解。缺点尽力在堂下个别谈；缺点改好了，有所进步的，尽力在堂上表扬。

（九）要疏通课堂空气，你总在台上坐着，学生总在台下听着，成了套子。学生打哈欠，或者在抄别人的作业，或看小说，你讲得多么用力也是白费。不但作文课要在学生座位行间走走。讲课时，写了板书之后，也可下台看看。既回头看看自己板书的效果如何，也看看学生会记不会记。有不会写的或写错了的字，在他们座位上给他们指点，对于被指点的人，会有较深的印象，旁边的人也会感觉兴趣，不怕来问了。

启功把这九条看作教师的"上课须知"。陈垣先生不止一次向青年教师反复说明，惟恐听不明、记不住。对于先生所说的关于板书的嘱咐，启功当时曾想，难道写板书还要起稿吗？他就找了个机会溜进讲堂，坐在学生堆里，瞧一瞧陈垣是怎样做的。结果发现先生不光板书内容写得精辟，书写的位置也不高不低，四字一行。先生一边写一边看，不让讲台挡上一个字。启功很是佩服。

　　启功说:"我知道老师并没有研究过什么教学法、教育心理学,但他这些原则和方法,实在符合许多教育理论,是他从多年的教育实践经验中辛勤总结得出来的。这些原则和方法,几乎都是家常话,但都是最切实际的循循善诱的教学法。"

　　陈垣先生对于书画鉴定并没有做过专门的研究,但是他研究过避讳问题,撰有《史讳举例》一书,指出"避讳可以辨别古文书之真伪及时代"。陈垣为清初画家吴渔山作年谱,对吴渔山的画多有研究,常邀请学过这方面知识的启功去看画,对真伪提出意见。有一次他们看到一位收藏家购买的吴渔山摹古画一册,共有八页,题名为《仿古山水八帧》,画法细密,相当精彩。其中第七帧是摹五代和北宋之际的画家李成的一页,题款为"李营邱秋渡图",第八帧的末款题"丙戌年冬至"。陈垣很快作出判断:"这一本画册是假的。"启功赶紧问原因。陈垣指出,对孔子的名字,历代都不避讳,到了清雍正四年(1726年)才下令避讳"丘"字,凡写"丘"字,均加"邑"旁作"邱"。在此以前,并没有把"丘"写成"邱"的。吴渔山生于明崇祯五年(1632年),卒于清康熙五十七年(1718年),在雍正以前,不可能预知要如何避讳。而丙戌年冬至是康熙四十五年(1706年),更不可能预知要避讳。启功在《夫子循循然善诱人》一文中写道:我真奇怪,老师对历史事件连年份都记得这样清,结论提出得这样快!这当然和陈垣先生作《史讳举例》曾下的功夫有关,更重要的是陈垣先生亲手剪裁并分类编定过一部《柱下备忘录》,所以对于清代史事如数家珍,唾手可得,伪画的马脚立刻暴露了。这是从一个"邱"字解决的。启功没有停留在赞叹和钦佩上,而是从陈垣未凭借笔迹画法,单凭对史料的掌握即从一个字断定真伪这件事领悟到,熟练掌握丰富的历史文献也是鉴定书画文物的一个有效的方法。在以后的鉴定工作中,启功所用的文献考据方法独具一格,常常能够出奇制胜,令同辈非常赞叹。陈垣先生传授了方法,但事实上他并没有教启功怎么做,颇像禅宗公案,不依说教,不著文字,全凭感悟。悟性让启功从先生那里得到了启发,但他能举一反三地将历史、书画、建筑、舆服、文学各种有关文献运用自如,则还是靠他将老师的想法进一步领会消化并发展后，几十年持之以恒所积累的学术功底。

启功善于学习，还体现在他能够随时留意陈垣先生发表的见解和议论，自己进行分析和揣摩。比如陈垣先生在谈到和尚的书法风格时说，和尚袍袖宽博，写字时右手提起笔来，左手还要去拢起右手袍袖，所以写出的字，绝无扶墙摸壁的死点画，而多具有疏散的风格；和尚又无须应科举考试，不用练习那种规规矩矩的小楷，如果写出自成格局的字，必然具有出人意料的艺术效果。启功听到后就注意观察和尚们做道场时所题写的字，发现确实如先生所说；进一步打听，果然他们只是较有文化的和尚而已，并非专门练习的书家。再观古代、近代"僧派"书法大家与这些普通和尚的风格确实有很大共性，最后启功认为陈垣先生的总结非常正确。由此亦可见启功认真严谨的学习态度。

陈垣先生以身作则，一生注重身教。他热爱祖国、不畏权势的思想、精神，对学生弟子小心呵护、精心培养、循循善诱的长者风度，给了启功潜移默化的影响。启功深情地说："援师在我人生道路的关键时刻，为我指点了迷阵。"他始终刻骨铭心地记着陈垣先生这样几桩往事：

1937年北平沦陷后，陈垣面对日寇的铁蹄和汉奸的利诱坚贞不屈。当徐州陷落时，敌伪政府命令各机关、学校悬挂日本"国旗"庆祝，他命辅仁大学和附中坚决不挂，敌伪派人来质问他，他说："自己国土丧失，只感悲痛，要我们庆祝，办不到！"在此后八年极端艰苦的环境中，他努力撑持着学校，坚持不挂日本国旗，不向日本国旗行礼，不用日文课本，用大无畏的精神，冒着生命危险，维护了中华民族的尊严。敌人多次用高官厚禄聘他给敌伪做事，都被他严词拒绝。

1945年抗日战争胜利以后，陈立夫和陈诚来北平视察，接见高校副教授以上的教师，北大、北师大、燕京、辅仁等校副教授以上的教师都参加了，启功也在场。接见以后在国会街国民党市党部请大家吃饭，席间陈诚说："想不到北平的知识界这样消沉！没有一点

二九　启功 20 世纪 40 年代的两幅照片

民族意识。"陈垣先生立刻把桌子一推，生气地反驳说："两位部长，你们过去来过这里没有？知道这些年我们过的是什么日子？什么叫消沉？我们在日本人统治下进行的斗争你们知道吗？可惜你们来得太迟了！"桌子上的饭菜差点被打翻。陈垣先生愤然离席，并说今后再也不参加这种会议了。二陈无言以对，十分尴尬。

　　也是在抗战胜利后，辅仁大学有一位教授在北平市教育局谋到了局长职务，想从辅仁大学再找几位教师做助手。此人看中了年轻有学识的启功（图二九），想让启功担任一个科长，薪水自然比生活清苦的教师高许多。启功犹豫不决。一天，启功找到陈垣先生，请先生帮助拿个主意。陈垣问："你母亲愿意不愿意？"答："我母亲说她不懂得，教我来请示老师。"先生又问："你自己觉得怎么样？"启功答："我'少无宦情'。"陈垣先生听到此哈哈大笑，说："既然你无宦情，我可以告诉你：学校送给你的是聘书，你是教师，是宾客，你可以摇摇摆摆；衙门发给你的是委任状，你是属员，是官吏，你要惟命是从。"启功明白了先生的态度，立即起身告辞。启功回家后，用花笺给当局长的那位教授写了一封信，感谢他对自己的器重，婉言谢绝了他的邀请。启功先将这封信拿给陈垣先生过目。陈垣先生看后没说别的，只说："值三十元。"多年后，启功谈起此事时说："这'三十元'到了我的耳朵里，就不是银圆，而是金圆了。"陈垣先生这一看似玩笑的肯定，使中国少了一个旧官吏，多了一位著名的古典文学专家、画家、书法家、文物鉴定家、诗人和教育家，这是无法用金钱衡量的。

1948年底至1949年初，解放军兵临北平城下，蒋介石三次派飞机到北平，把知名学者接往台湾。陈垣也是国民党准备接走的人，但是陈垣没有走。这时，他已经对国民党不抱任何希望，决心留下来亲自迎接解放，看一看共产党领导的新社会。

北平解放以后，已经年过七旬的陈垣先生（图三〇），感到自己大大落后于时代，决心奋起直追，开始学习马列主义理论。他每月所得工资，除去一些生活必要开支外，全部买了马列主义的书籍。他视力衰退，看不清书上的字，就用放大镜如饥似渴地认真学习毛泽

三〇 1950年11月19日，庆贺陈垣先生七十寿辰后留影。一排左二起：陈垣、余逊、刘乃和，二排左一为启功，左二为柴德赓。

东的《新民主主义论》。他为国家和民族的新生而振奋，积极投入了新中国的教育事业。

启功说："从这几件事中，老校长热爱祖国、不畏权势、光明磊落的高大形象，深深印在我的脑海里，对我是无言的教导。"

陈垣先生终其一生，始终关怀着启功的成长与进步。1962年，启功在《文物》杂志上发表论文《关于古代字体的一些问题》，读者反映很好。他又征求了一些朋友的意见，认真作了修改补充，写成《古代字体论稿》，准备由文物出版社作为专著出版。启功去请陈垣先生题签。陈垣先生非常高兴，问启功："你曾有专书出版过吗？"启功说："这是第一本。"陈垣先生又问了启功写这本书的一些情况后，忽然又问："你今年多大岁数了？"启功说："五十一岁。"陈老师即历数戴东原（清代思想家、学者，一代考据宗师）五十四岁、全谢山（清代史学家、文学家）五十岁，然后说："你好好努力啊！"启功突然听到这几句上言不搭下语又比拟不恰当的话，立刻懵住了，稍微一想，几乎掉下泪来。他说："老人这时竟像一个小孩，看到自

三一　陈垣先生题签的《启功丛稿》书影

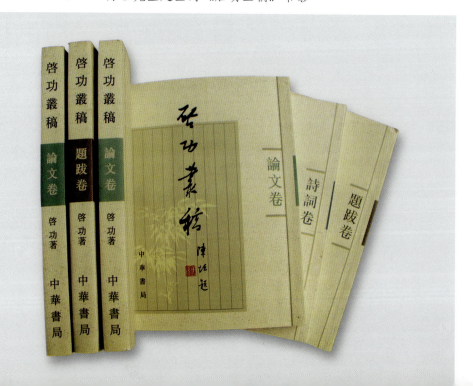

己浇过水的一棵小草，结了籽粒，便喊人来看，说要结桃李了。"

1964～1965 年间，启功的《诗文声律论稿》完稿，带着稿子再去请陈垣老师题签。这时老师已经病了，经不得劳累，但他见到启功的这一叠稿子，非看不可。启功知道他老人家如看完那几万字，身体必然支持不住，只好托词说还需修改，改后再拿来，先只留下书名，请老师题写。启功心里明白，老师以后恐怕连这样的书签也不容易多写了，又难于先给自己订出题目请老师预写，于是想出"启功丛稿"四字，准备将来作为"大题"，分别用于各书。就说还有一本杂文，也求题签。老师这时已不太能多谈话，他就到旁的房间去坐等。不大一会儿，陈垣先生的秘书举着一叠用墨笔写好的小书签来了，启功真是喜出望外。怎么这样快呢？原来老师凡见到学生有一点点成绩，都是异常兴奋的。最令启功痛心的是，他老人家未能见到《启功丛稿》的正式出版（图三一）。

1971 年，启功最敬爱的恩师陈垣先生逝世了。

在陈垣先生逝世的时候，启功还是被"挂起来"的审查对象，没有资格进入礼堂，只能在院子里参加追悼会。他怀着悲痛的心情挥泪写了一副挽联："依函仗卅九年，信有师生同父子；刊习作二三册，痛馀文字答陶甄！"

"文化大革命"结束以后，启功的处境逐步好转，终于被从"右派"困境中彻底解放出来，学术上也功成名就。但他说无所谓了，因为最在乎他、希望看见他长进的亲人已经走了，陈垣就是这些亲人之一。

陈垣不仅是把启功从青年时期的困境中解救出来的恩人，而且他既认定启功是一个有天赋、有前途的人，就不管别人怎么看，悉心地呵护他。启功也没有辜负恩师的培育，终于成为举国闻名的一代博学大师。

（三）夫妻情深　相濡以沫

启功走进辅仁大学受教于恩师陈垣的前一年，也就是 1932 年，在母亲和姑姑的"安排"下，与章宝琛女士完婚。章氏也是满族人，比他大两岁。开始启功并不想过早结婚，因为自己尚无正业，而且对女方情况一无所知。母亲拿来姑娘的照片对他说："你父亲死得早，我守着你很苦很累了，很想有个帮手。你身边有个人，我也就放心了。"听了母亲的话，一向孝顺的启功理解母亲的心思，也很同情母亲的辛苦，不愿违抗母命，便应允了这门亲事。

他们婚后夫妻情深，是典型的婚后恋爱。他们的爱情是真挚、纯洁、深沉、持久的。他们心心相印，相濡以沫，相互之间视对方为自己的一半。在婚后四十年的共同生活中，启功发现妻子天生勤劳、贤惠、善良，是具有中国传统美德的贤妻良母式的女性。在日常生活中她总是尽心尽力使丈夫得到安逸和欢乐，让丈夫集中精力做学问干事业。她没有多高文化，在许多事情上是不求甚解的。她对旗人家中媳妇地位的低下习以为常，对家庭中的种种委屈心平气和、逆来顺受，然而有一点她十分清楚，就是坚信自己的丈夫是一个正直、善良的好人。启功深情地对朋友说，"她的善良已经到了超越自我的程度"，"她唯一遗憾的是我们没有子女，在这一点上，她认为是自己的过错"。启功在辅仁大学教书时，经常和女学生出去看展览，亲戚中有一位老太太善意地问章宝琛知道不知道，她对老太太说："不会有问题，就是他有问题，我也没有怨言。我希望那个女人能给他留下一男半女，也好了却我的心愿。"

天有不测风云。启功没有躲过1957年开始的那场风暴，最终在1958年戴上了"右派"的帽子。面对突然的打击，章宝琛难以理解。启功对她说："像咱们这种家庭出身的人，受的是封建教育，连资产阶级思想都够不上，何况无产阶级思想？划我'右派'也不屈，宰了我，我也当不了'左派'啊。"听了启功的解释，她想通了，决心"陪他受苦"，反过来又劝说启功："留得青山在，不怕没柴烧。"

章宝琛把无私的爱除了给丈夫外，就全身心地奉献给婆婆和姑姑。就在启功面临着"反右"运动的冲击时，祸不单行，他的母亲和姑姑相继病倒。在母亲和姑姑重病期间，启功要接受审查，坚持上班，照料和服侍两位老人的担子全部压在了章宝琛的肩上。她日

三二　小乘巷

夜守候在婆婆和姑姑床前，侍奉左右，尽心尽力，毫无怨言，先后送她们安详离世。在安葬了母亲之后，启功再也抑制不住自己的感激之情，双膝跪地给妻子磕了一个头。

三三　小乘客印模

　　启功被划"右派"后，经济十分拮据。他们夫妇每人每月的生活费只有15元，住不起宽敞的房子。章宝琛征得弟弟章宝珩的同意，由东城区黑芝麻胡同14号搬到西直门内小乘巷86号(图三二)，客居在章宝琛弟弟家的两间小南屋里。启功从此开始了二十余年在内弟家的客居生活，他曾为此刻过一方闲章"小乘客"(图三三)。

　　突如其来的打击，精神上的压力，经济上的困境，压得启功患了美尼尔氏症，经常头晕(图三四)。"右派"帽子刚刚摘下不久，又来了"文化大革命"。可以说客居小乘巷二十余年的日子，是在贫病交加的境况下度过的。启功曾记述："寄居小乘巷，寓舍两间，各方一丈。南临煤铺，每见摇煤，有晃动乾坤之感。"1971年夏天多雨，

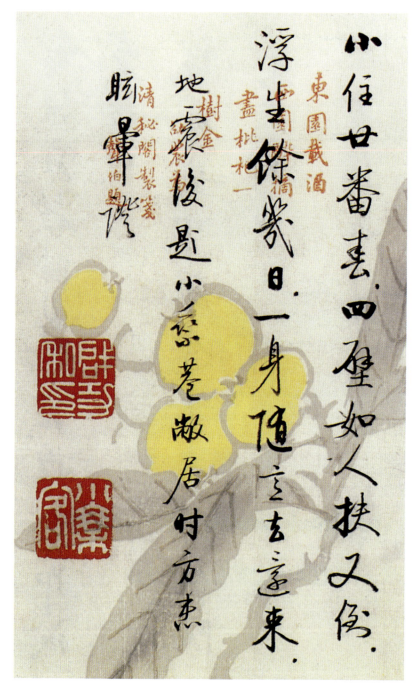

三四　启功手书《地震后题小乘巷敝居，时方患眩晕症》联

旧屋的墙壁向内倾，他写道："东墙雨后朝西鼓，我床正靠墙之肚。坦腹多年学右军，如今将作王夷甫。"可见当年困境。好在内弟一家对他们热情照顾，内弟的几个孩子都很懂事，对他们夫妇也很尊敬。他们只有在与内弟一家分享天伦之乐时，暂时忘却一切烦恼。

1966年"文化大革命"初期，红卫兵抄家成风的日子里，章宝琛暗暗地保护启功，偷偷把启功画的一本册页精心包裹，暗藏在别人找不到的地方，使这珍贵的册页得以完好地保留下来。

在启功各方面处于困境的时候，章宝琛深明大义，对启功体贴入微。为了补贴家用，她卖掉自己的首饰；她宁可省吃俭用，也要经常给启功买些肉改善生活，保证启功购买参考书、文具的费用。

在启功接受标点《清史稿》任务的1971年，与他风雨同舟、同甘共苦的夫人章宝琛，由于长年的贫苦生活积劳成疾，患了黄疸肝炎病。启功自己由于标点工作任务繁重，经常加班加点，身体也每况愈下，美尼尔氏症经常复发，折磨着他。

在章宝琛病重期间，启功一边忙于《清史稿》的标点工作，一边还要到医院去陪护章宝琛，看着痛苦不堪的妻子，不禁想起他们结婚四十年来相依相伴的日日夜夜（图三五）：

结婚四十年，从来无吵闹。白头老夫妻，相爱如年少。
先母抚孤儿，备历辛与苦。曾闻与妇言，似我亲生女。
相依四十年，半贫半多病。虽然两个人，只有一条命。
我饭美且精，你衣缝又补。我剩钱买书，你甘心吃苦。
今日你先死，此事坏亦好。免得我死时，把你急坏了。
枯骨八宝山，孤魂小乘巷。你且待两年，咱们一处葬。

经过医院抢救，又服用大剂量的强地松激素，章宝琛的病情逐渐缓解，有了转机。启功在床边把以上诗句读给她听，读到动情之处，二人悲喜交加，"且哭且笑"。但是，到了1974年底，章宝琛旧病加重，再次住进北大医院，缠绵百日，1975年夏天终于不起。她在弥留之际，还不忘告诉启功，她在"文化大革命"初期为启功隐藏的那本册页存放在什么地方。

此时，继陈垣先生逝世以后，启功最后一道感情的堤坝崩

痛心篇

先妻諱寶琛姓章佳氏長功二
歲年二十三與功結褵一九七一年辛
病羔殆一九七四年冬復病纏綿
百日終於不起時為一九七五年夏
歷花朝前夕是為誕生第六十
六年初逾六十四周歲也

結婚四十年從來無吵鬧白頭老
夫妻相愛如年少
先母撫孤兒備歷辛與苦曾聞與
婦言似我親生女
相依四十年半貧半多病雖然

兩个人只有一條命
我飯羹且精你衣縫又補我賸錢
買書你甘心吃苦
今日你先死此事壞不好免得我死
時把你急壞了
枯骨八寶山孤魂小乘卷你再待
兩年咱們一廢葬
強地松激素居然救命星肝炎
黃膽病起死得回生
愁苦詩常易歡愉語莫工老妻
真病愈馬唱樂無窮
以上一九七一年秋作病起
曾共讚讀時且哭且笑

三五　启功手书诗稿

溃了！

老伴去世以后，启功的哀痛难于言表，他长久地沉浸在无尽的哀思之中，写下了催人泪下的《痛心篇二十首》，以极朴素的语言，表达了他与老伴之间生死相依的深厚感情：

> 为我亲缝缎袄新，尚嫌丝絮不周身。
>
> 备他小殓搜箱箧，惊见裹衣补绽匀。
>
> 病林盼得表姑来，执手叮咛托几回。
>
> 为我殷勤劝元白，教他不要太悲哀。
>
> 君今撒手一身轻，剩我拖泥带水行。
>
> 不管灵魂有无有，此心终不负双星。
>
> 梦里分明笑语长，醒来号痛卧空床。
>
> 鳏鱼岂爱常开眼，为怕深宵出睡乡。
>
> 狐死犹闻正首丘，孤身垂老付飘流。
>
> 茫茫何地寻先垄，枯骨荒原到处投。

章宝琛在病中时曾对启功戏言，她死之后一定有人给启功再找对象，并说不信咱们可以赌下输赢账。她去世之后确有不少亲朋好友来为启功做媒，甚至有人前来自荐，都被启功一一婉言谢绝。1989年秋，启功突发心脏病，不省人事，经北医三院抢救后才有惊无险。启功苏醒后，郑重宣布和老妻赌下的输赢账是自己赢了，写下了感人至深的长诗《赌赢歌》(图三六)。

其实，这不是说启功自己赢了输赢账，而是永远不能忘怀的真情难抛！直至今天，已经事隔二十余年，启功还不愿与朋友谈起亡妻的旧事，甚至从不与人一起去游山玩水。他说看见别人双双相随，就会触景生情，想起老妻而伤心。他在一首悼亡诗中写道：

> 先母晚多病，高楼难再登。
>
> 先妻值贫困，佳景未一经。
>
> 今友邀我游，婉谢力不胜。
>
> 风物每入眼，凄恻偷吞声。

启功不止一次对朋友说："我这一辈子有两个恩人，一个是陈垣老师，一个是我的老伴。但他们两个都是为我窝着一口气死去的。老

三六　《赌赢歌》手稿

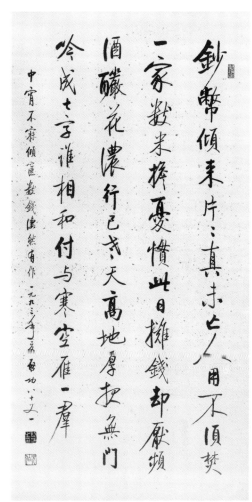

三七 《中宵不寐，
倾箧数钱，
凄然有作》
手稿

伴在时，连现在看来极普通的要求，我都没能满足她，她没有过过一天好日子，她虽死而无怨，我却心里更加难受。我们是'有难同当'了，却不能'有福同享'。因此今天我的条件越好，心里就越不好受，特别是我今天得到的一切，已经觉得名不符实了，怎么能安心地享受这一切呢？况且我已无父无母，也没有兄弟姐妹，又无儿无女，身内之物一件都没有，我要钱、要物、要名、要那么多身外之物还有什么用呢？我只有刻苦一点，心里才平衡一些。"启功曾为此写过一首诗《中宵不寐，倾箧数钱，凄然有作》(图三七)：

钞币倾来片片真。未亡人用不须焚。

一家数米担忧惯，此日摊钱却厌频。

酒酽花浓行已老，天高地厚报无门。

吟成七字谁相和，付与寒空雁一群。

（四）虚心学习 博采众长

启功从1933年教授辅仁大学附中一年级"国文"开始，到20世纪50年代初，在中学、大学的讲台上，充分显露了他的才华。他先后教授过《国文》、《中国文学史》、《中国美术史》、《历代韵文选》、《历代散文选》等课程。由于他学识渊博，讲究教法，因此无论教什么课，都能得心应手、独具风格，颇受学生爱戴。他以聪敏的天资、坚韧不拔的毅力，赢得了同辈学者的尊重。他在解放前即由助教依序升为讲师、副教授，并被北京大学聘为兼职副教授。

1949年1月，北平和平解放，10月1日中华人民共和国宣告成立，历史的新纪元由此开始。这时启功三十七岁，正当年富力强的时候。虽然对共产党并不了解，但是他勇于接受新事物，积极学习政治理论和共产党的政策。从1951年秋到1952年春，启功在湖南省澧县参加了土地改革运动，亲眼看到了翻身农民得到土地后的喜悦和农村生产力的发展。回到学校之后，他又参加了知识分子思想改造运动，学习了《实践论》、《矛盾论》和《中国现代革命史》，通过理论学习，对中国共产党领导中国革命的历程有所了解，又看到新中国建设事业的发展，焕发了政治热情(图三八)。

1952年辅仁大学与北京师范大学合并后(图三九)，陈垣先生出任北京师范大学校长。启功在北京师范大学中文系继续任教，几年后被提升为教授。1952年，他参加了"九三"学社，并被选为北京分社委员。他又以少数民族代表的身份，被选为北京市政协委员。此时的启功已在社会上崭露头角，他的诗、书、画也日趋成熟。

为什么启功年纪轻轻，就能取得如此成就?因为他善于虚心学习，博采众长。他清醒地认识到，自己作为一个中学未毕业的人，没

三八　启功和恩师陈垣在一起

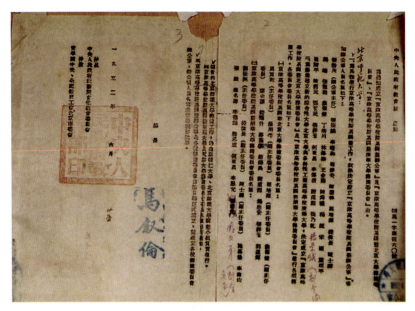

三九　教育部关于辅仁大学与北京师范大学合并的文件

有大学的学历，要想在高等学府呆下去并做出成绩来，必须比别人更加勤奋，只有具备真才实学，才能获得社会的承认。从年轻时起，他即养成了在学术上务实、求真的精神，几十年从未放松过对自己的要求。

1. 向前辈专家学习

在辅仁大学，启功结识了一批他尊敬的前辈专家学者。启功在《北京师范大学百年纪念私记》一文中谈到，对他在治学上影响最大的有沈兼士（图四○）、余嘉锡（图四一、四二）等诸先生。他们当时都是蜚声社会的学界名流和富有教学经验的饱学之士。

沈兼士先生是章太炎先生的弟子，精通文字声韵之学，是我国语言文字学的大家，曾任辅仁大学文学院院长。沈先生平生"最慕朱筠，提拔寒畯，乐道后学之长，甚至于不避夸张"。年轻的启功常常受到沈先生的揄扬、提拔、鼓励和鞭策，并被沈先生推荐到故宫博物院兼任专门委员。

余嘉锡先生是湖南常德人，字季豫，号狷庵，清末做过七品小

四〇 沈兼士先生

官。辛亥革命后，曾教家馆，在北京大学兼课，后由杨树达先生介绍到辅仁大学任国文系主任，与启功相识。余先生是我国著名目录学专家，"读书广博、善辨真伪，能博学约取；他用功勤奋、扎扎实实、持之以恒；做学问下笔不苟，引用资料坚实，论断确凿；对古人成说不盲从、不轻信，足为后学楷模"。余先生对启功也有较大影响。

启功还结识了于省吾、容庚、唐兰、郭家声等一些老先生。那时辅仁大学教师人数不多，各系教师共用一个教员休息室。上课前、下课后，老先生们经常到教员休息室里来。这间大屋子里学术空气十分浓厚，可以说是一个"大讲堂"，而且有任何讲堂都学不到的东西。对抗战时期学术界中变节事敌之人的批评自不待言，而某人的一篇学术论文在报章杂志上发表、一本专著的出版，都可以听到重要的评论。启功回忆说："那些评论哪怕是片语只词，往往有深刻的意义，回去'顺藤摸瓜'，自己再找那文那书来看，真是收获有'一听三得'之益处。"启功善于从这些前辈的言行中汲取学术营养，学

四一　余嘉锡先生
四二　1948 年 4 月 25 日，启功等人祝贺陈垣、余嘉锡当选中央研究院院士。

习做人之道。老一辈学者们用功之勤奋、学问之渊博、治学之严谨、人品之高尚，也都是启功学习的榜样。由于他善于向长者求教问学，不断从他们的身上汲取和继承优良的学风和教风，因而启功虽然没有上过大学，却在大学讲坛上成为佼佼者。

2．向社会上的学者、艺术家学习

溥忻(字雪斋）和溥儒（字心畬）两位先生是启功同宗远支的前辈，都是20世纪三四十年代非常有名望的文人，精于诗琴书画。溥心畬在画界更被称作"北溥"，与南方的张大千齐名。

溥雪斋的住处离启功家较近，从青年时代起，启功经常到雪斋先生的松风草堂请教。

溥雪斋先生常在他的松风草堂举办类似"画会"的小型聚会，邀请一些有名气的画家聚集谈艺作画。常去的有溥心畬、关季笙、关稚云、叶仰曦、溥毅斋、溥尧仙、祁井西等艺术家和书画爱好者。大家在一起相互切磋、交流的氛围对启功很有帮助（图四三）。他回忆道："除了合作画外，什么弹古琴、弹三弦、看古字画、围坐聊天，无拘无束，这时我获益也最多。因为登堂请益，必是有问题、有答案，有请教、有指导，总是郑重其事。还不如这类场合中，所见所闻，常有出乎意料之外的东西。我所存在的问题，也许无意中获得理解；我自以为没问题的事物，也许竟自发现另外的解释。"

启功的祖母与溥心畬父亲的夫人都是敬懿太妃的妹妹，在办理太妃丧事的时候启功见到了溥心畬。那时启功不过二十岁左右，但他的书画已小有名气。溥心畬先生很欣赏启功，便邀请启功常去他家。

本来，启功担心溥心畬身为恭忠亲王奕䜣的亲孙，会有"亲贵"脾气不好相处。但溥心畬先生多次催促，盛情难却，便到萃锦园的寒玉堂向先生请教。一去才知溥心畬虽是"亲贵"，但更是一个诗琴书画文样样精通的学者，具有艺术家的风范，对启功非常亲切。

溥心畬先生在每年园中西府海棠开花的时候，也邀请当时的若干文人来园中赏花赋诗。他们当中有清代的遗老、老辈的文人，还有当时有名的旧文人。大家签名后，都抽一个小纸卷，内写有一个字，是分韵作诗的韵字，赏花后带回家作。虽然不一定每次都能作

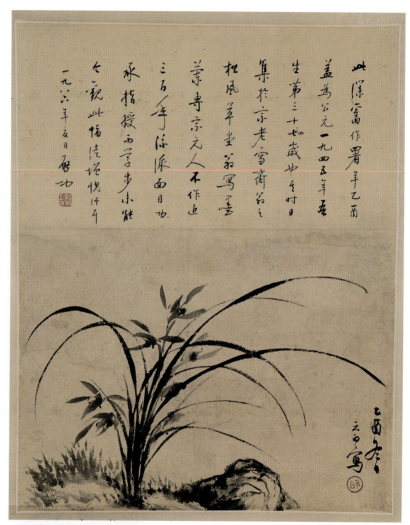

四三　启功1945年在溥雪斋松风
草堂聚会期间所绘《兰草
图》及溥雪斋先生遗照

得成品，但动了脑子还是有收益。

溥心畬先生还经常约几位要好的朋友小酌，多在什刹海的会贤堂。常聚的有陈仁先、章一山、沈羹梅等老先生，启功也经常在被邀之列。同老先生们在一起非常有益于增长见识，特别是沈羹梅先生思维缜密的谈话，让启功觉得是一篇篇的好文章，如同读了珍贵的史料档案。

在寒玉堂溥心畬和李释堪先生经常拿当时的名家诗文来共同评论，有时也对启功带去的习作加以指导。当时令启功惊奇的是他们常常能够指出哪句是先有的，哪句是后凑的，哪句好，哪句坏。现在，启功已经同样去看学生的作品了。

启功曾写道："《礼记》云：'独学而无友，则孤陋而寡闻'，俚语也说：'投师不如访友'，原因是师是正面的教，友是多方面的启发。师的友，既有从高向下垂教的尊严一面，又有从旁辅导的轻松一面。师的友自然学问修养总比自己同等学力的小朋友丰富高尚的多多，我从这种场合中所受的教益，自是不言可喻的！"

溥心畬是近代非常知名的大画家，堪称"一代宗师"，但他偏偏最喜好的是读诗写诗（图四四）。他关心启功，要启功好好读书，而且非常乐于指导怎样作诗，特别具体地指示读某版的王维、孟浩然、韦应物、柳宗元四家合集；但谈到如何作画，则很随便，没有方法，连基本的笔法也不讲究，常常说，诗作好了，画自然会好。

启功非常执著地拿着自己的绘画多次去请教，溥心畬也不好好看，只是问：作诗了没有？启功了解了这个规律，就把诗和画一并呈上，甚至诗配画在一起，令溥心畬先生不得不一起看。启功曾经自己画了远景在小扇面上，又模仿溥心畬的风格题了诗给先生看。溥心畬看了好久问："这是你作的吗？"启功说："是我作的。"溥心畬看了又看，还是怀疑，启功便开玩笑地说："像您作的吧！"溥心畬觉得启功诗作得好，非常高兴地勉励了他。

可对于启功在画法方面的提问，溥心畬总是"顾左右而言他"，常说的话就是"要空灵"。更有一次竟说："高皇子孙的笔墨没有不空灵的。"这句听上去前言不搭后语的话，让启功觉得简直好笑！

后来，启功知道溥心畬的画法主要得益于一幅无款的山水画卷，就想找机会借出来临摹学习，以为探索了这卷的奥秘，就能了解先生的画诣。一天，启功在旧书铺中见到名为《云林一家集》的选本唐诗，精抄本数册，合装一函，署名清素主人选订。书铺不知清素主人是谁，定价较低。启功知道清素主人是溥心畬父亲载滢的别号，于是买下此书呈给溥心畬。溥心畬见了大为惊喜，说此稿早已遗失，正苦于找不到。启功表示诚心相送，只愿借画卷一临，溥心畬欣然同意。启功回家后用纸和绢各临了一卷。他回忆道："我的临本可以说连山头小树、苔痕细点，都极忠实地不差位置，回头再看先生节临的几段，远远不及我钩摹的那么准确，但先生的临本古雅超脱，可以大胆地肯定说竟比原件提高若干度（没有恰当的计算单位，只好说'度'）。再看我的临本，'寻枝数叶'，确实无误，甚至如果把它与原卷叠起来映光看去，敢于保证一丝不差，但总的艺术效果呢？不过是'死猫瞪眼'而已！"启功明白"空灵"的道理了。

启功在回忆这段经历时写道："先生的笔墨确实不折不扣的空灵，这是他老先生的自我评价，也是愿把自己的造诣传给后学，但自己是怎样得到或达到空灵的境界，却无法说出，也无从说起。为了鼓励我，竟自蹩出那句莫名其妙而又天真有趣的话来，是毫不可怪的！"

3.向同辈学者学习

在辅仁大学，启功也结识了牟润孙、台静农、余逊、柴德赓、许诗英、张鸿翔、刘厚滋、吴丰培、周祖谟等一批年轻的同辈学者（图四五～四九）。他们经常在一起切磋学业，互相启发，确实收到解难析疑、相得益彰的实效，真是"谊兼师友"。抗日战争爆发后，有许多位分散了，只剩下余逊、柴德赓、启功、周祖谟四位（图五〇），经常到陈垣先生在兴化寺街的书房请教学问、聆听教导，被人们誉称"校长身边有'四翰林'，常到上书房行走"。如今这些人多已仙逝，"四翰林"也只剩下启功一人了。

启功回忆当他二十一岁"初出茅庐"时，第一位相识的是牟润孙先生，比他年长四岁。第二位相识的是台静农先生，比他年长十岁。他们对启功这位小弟弟既关怀又鼓励。他们课余常在一起，有时交谈教学心得，有时相伴郊游，有时饮酒、谈诗、作画，常在这种无拘无束的气氛中谈论学术问题。他们互相切磋，相得益彰。笔者有幸读到柴德赓的两段笔记（图五一），真实记录了他们的深厚友谊。一段写于1939年，是回忆1937年抗日战争爆发前夕他们分别时的一次聚会。

> 丁丑（1937年）六月，与静农、建功、润孙、元白诸兄小集同和居。醉后，建功出高丽纸，属元白挥毫分留纪念，余乃得为写云林小景。今日故人星散，披卷有感。己卯（1939年）六月朔。
>
> 忆昔危城买醉时，高楼雨歇酒人悲。
> 澹台山鬼西南去，日日人间有别离。
>
> 两年搔首问苍穹，我亦栖迟惭国殇。
> 惟有虬公豪气在，兴来辣手著文章。
>
> 独羡启侯笔墨新，疏林怪石自精神。

四五　　1934年1月，陈垣与部分青年教师在北京图书馆前。左起：
　　　　牟润孙、张鸿翔、陈垣、台静农、柴德赓、储皖峰。

四六　　1947年5月，胡适到辅仁大学讲演后与教师合影。前排左起：
　　　　周祖谟、柴德赓、陈垣、胡适，第二排左起：启功、余逊、张
　　　　鸿翔、刘乃和。

四七 1947年12月，在陈垣兴化寺街旧居合影。前排左起：余逊、
启功、余嘉锡、陈垣、刘乃和、周祖谟。

四八 1947年12月5日同游北海留影。左起：启功、陈垣、刘乃
和、柴德赓。

四九　1947年12月在烤肉季用餐。左起：柴德赓、刘乃崇、
　　　启功、陈垣。

五〇　1948年4月25日余逊、启功、柴德赓、周祖谟合影

若从艺苑论功力，画外倪黄有几人。

另一段写于1940年。

十一月十三夜，与元白同阅清人书画，承示近作论书绝句，并云将撰晋唐法帖真伪考，以正俗说。归途得二绝，非敢续貂，聊以纪实云尔。

元白行书类死蛇，安吴执笔漫涂鸦。

书宗自古分南北，各有风流未足夸。

晋唐法帖枉评论，至竟何人识本源。

此事端须研轮手，尽探玄秘扫群言。

启功曾回忆这些有趣的交谊说："他们从老师那里得来只言片语，而我正在不懂之时，他们甚至用村俗的比喻解释一番，使我豁然开朗。"又说："他们对一本书、一首诗、一件书画，也常常各抒己见、轻松地评论，有时见解十分周密、深刻，有多少受用不尽的

五一 柴德赓墨迹页

箴规、鼓舞，得知多少为学的门径。""七七"事变以后，大家各奔东西，抗战胜利以后，牟润孙去香港，台静农去台湾，很久未能联系。再想质证所疑，甚至印证所得，都因远隔天涯，而求教无从了。"四人帮"被打倒后，启功和牟润孙在北京流泪相聚。早年的英俊青年，如今已是白头老翁了。启功曾作有《喜晤牟润老》（图五二）：

> 早岁虬髯意气豪。市楼谈吐静群嚣。
>
> 卅年屐履回尘迹，一帙文章压海涛。
>
> 把臂国门头共白，搊膺时世目无蒿。
>
> 励耘著籍人馀几，敢附青云效羽毛。

后来牟润孙被选为全国政协常委，每年至少来京开会一次，与启功见面机会较多，友谊之深不减当年。两人每每忆起台静农先生，因两岸相隔，音讯渺然，心情的沉重无法形容。

进入20世纪80年代以后，海峡两岸的民间交流增多，启功通过在香港的朋友辗转打听到台静农的消息，虽然不能见面，也曾通过诗、书、画，交流离别四十多年来彼此思念之情（图五三）。1985年，启功欣喜地读到了台静农的《静农书艺集》，看到台先生晚年作品隶

五二　启功《喜晤牟润老》手稿

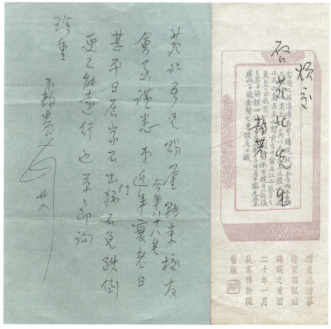

五三　20世纪80年代台静农在台北寓舍留影
　　　及与启功的信札

五四　台静农书寒食诗墨迹

五五　启功书读寒食诗后记

书的开扩、草书的顿挫、行书的苍劲，表现了书写时的健旺精神，心情激动而又欣慰，称赞台先生"从人品、性情、学问，以至他对文学艺术的兴趣和成就，可以说是综合而成的一位完美的艺术家"。自此以后，他们又能隔海交流。启功托朋友辗转把他的诗集带给台先生，台先生又亲自临写苏东坡的黄州寒食诗两首回赠启功，启功收到后视为比"故宫藏品还珍贵的礼物"，立即托人装成手卷并在卷尾题写跋文珍藏起来（图五四、五五）。后来听说台先生身患癌症，他十分牵挂。1990 年春天，启功收到台静农先生托人捎来的书法集、诗集等三本书，书上写的不是"留念"而是"永念"二字，感到手里拿的不是三本书，而是三块沉重的石头。1990 年 6 月，启功终于

五六　1990年6月7日，
　　　启功在香港与
　　　台静农通电话。

在朋友们的帮助下，在香港与重病中的台静农通了一次电话（图五六）。隔别了四十年的老友通话时，台静农因患食道癌已不能吃东西，希望启功快到台湾去探望他，在电话中说："我几个月不能吃东西了，是在病床上和你通电话，咱们一块折腾的没有几个人了，就剩你了。"还说："你快来呀，不来咱们就见不着了。"未料两位先生终未能重新见面。同年11月2日台先生在台北逝世，启功通过图文传真机把他亲笔书写的挽联经过香港传真给台先生的家属，彼此在翰墨与友情上的深厚交往可见一斑："河岳日星风期无忝，文章翰墨师友平生。"

4. 教学相长

启功从教七十余年以来，与学生的关系一贯十分融洽，对学生以朋友相待。他在辅仁大学任教时，一边完成教学任务，一边潜心研究书法史、绘画史，业余进行书画创作（图五七）。不少学生向他学书学画。当时，有一名中文系的学生名叫王静芝，觉得自己的字写得不好，想跟随启功学习。经柴德赓介绍，他拜启功为师学习书法。王静芝比启功只小三岁，启功不以师自居，而以友相待。王静芝经常到启功家里去看启功写字作画，"被启师笔精墨妙，风格高雅

五七　启功1946年所
　　绘《秋山人在
　　画中行》

五八　1990 年启功与王静芝在香港

的书画所迷"，"日日陶醉在启师的一笔一墨，山水云树之间"。启功对王静芝虚心学习很是赏识，尽心指导，将自己的诗书画艺无不倾囊相授，为王静芝学习书画创造了优越条件，甚至将自己收藏的古人真迹拿出来供王静芝临摹。

王静芝曾给笔者讲过这样一段往事：一次，启功给王静芝看一幅董其昌的真迹，王静芝十分喜爱，启功就让他带回家去临摹。王静芝在临摹中不小心把淡墨点溅在绫子边上了。遇到这样的事，王静芝十分懊丧，无心再画，立即卷起画轴，冒着大雨去找启功。当时启功正在画一个手卷，听到王静芝懊丧地说把画弄脏了，他非但没有生气，反而宽慰王静芝说："脏一点不要紧，这幅画本来是我想买的，正在考虑，现在把它留下来就是了。"并让王静芝坐下来看他画手卷。王静芝从辅仁大学毕业之后去了重庆，以后又辗转定居台湾，与启功分别四十余年，但对这件事记忆犹新，曾写有长诗《启元师》记述这件事（图五八、五九）。

行箧我自携丘壑，展视云起暮烟落。

连日经行蜀道间，对此不复思剑阁。

此中笔墨总生情，挥洒江山烟树横。

案旁有我兀然坐，谈笑落毫风雨生。

元师草堂在苑北，常将性情托纸墨。

每借荆关游山水，更与李杜论平仄。

乃有一日雨窗寒，留我看画奇突山。

卷长廿尺如千里，沧江直下天地间。

一峰忽起万峰仰，五丁飞过突开朗。

流林秀竹倚茅屋，远帆落日动退想。

今舒此卷溢清晖，尤念当时翰墨飞。

路长旅舍孤灯暗，何年重傍笔淋漓。

五九　王静芝《启元师》诗稿

　　1990年启功为筹集励耘奖学助学基金,在香港举办书画义卖展。王静芝得到消息,专程从台湾到香港认购书画,并邀请启功去台湾访问。为促成此事,王静芝曾多次与启功书信往返,但因种种客观原因启功未能成行。2003年春,王静芝在台北仙逝,启功曾撰写挽联哀悼:"迟长三年论艺弥谦增我愧,一眠千古遗文永寿仰公贤。"

　　启功常讲,他这辈子教书是主业,别的都是副业。他的许多研究都是从他的教学实践中发展起来的。他解释《学记》时讲过,在教学过程中最容易发现教师的不足。对于学生的提问,不能给学生讲明白的地方,一定是自己还没有搞明白,不明白就要去研究(图六〇～六二)。比如启功对声韵方面的研究,就始自他讲授《历代韵文选》时。聂石樵先生曾回忆启功五十年前给他们讲诗歌格律的情

六〇　启功手书"学而不厌,诲人不倦"

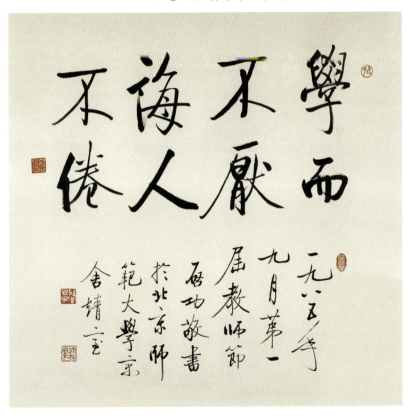

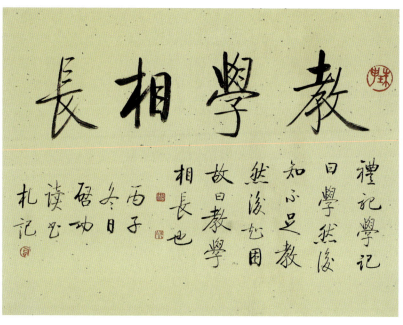

六一　启功手书"教学相长"

六二　启功手书"学然后知不足，教然后知困"

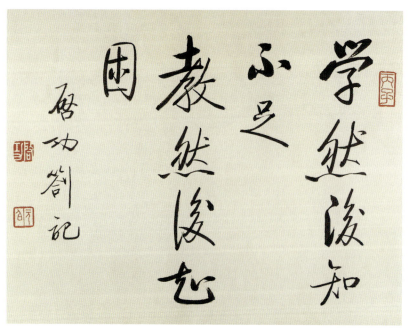

景："启先生讲课、写文章极注意做到深入浅出，化繁复为简明，化
深奥为平易，从不板起面孔故弄玄虚地吓唬学生，所以总让人感到
读书求学乃是一项愉快的活动，而不是那么枯燥乏味，艰深困难。如
诗歌格律问题讲不好就很使人厌烦，但启先生却绘成图表教我们掌
握其变化规律，使学生很容易就了解到它不但有规律可循，还有其
灵活性。至今我们还保存着几张他亲手绘制的律诗平仄表（图六
三），工整的墨笔字和朱笔符号，那是先生三十几岁时的墨迹。而这
也正是他后来所著《诗文声律论稿》的雏形。"

　　启功主张教师要不断充实自己，把最新的研究成果带给学生，
教学相长，更能促进学术研究。他最反对弄本教材教一辈子，谁来
都是这一套，结果是误人子弟。众所周知当前西方发达国家的最新
科研成果、学术思想与教学是结合得非常紧密的。启功作为一个文
科教师，在五六十年以前就能有这种思想，并付诸实践，是非常了
不起的。

　　聂石樵先生回忆道："先生给我们讲过敦煌变文，从敦煌石室的

六三　20世纪50年代启功绘制的用于讲课的律诗平仄表

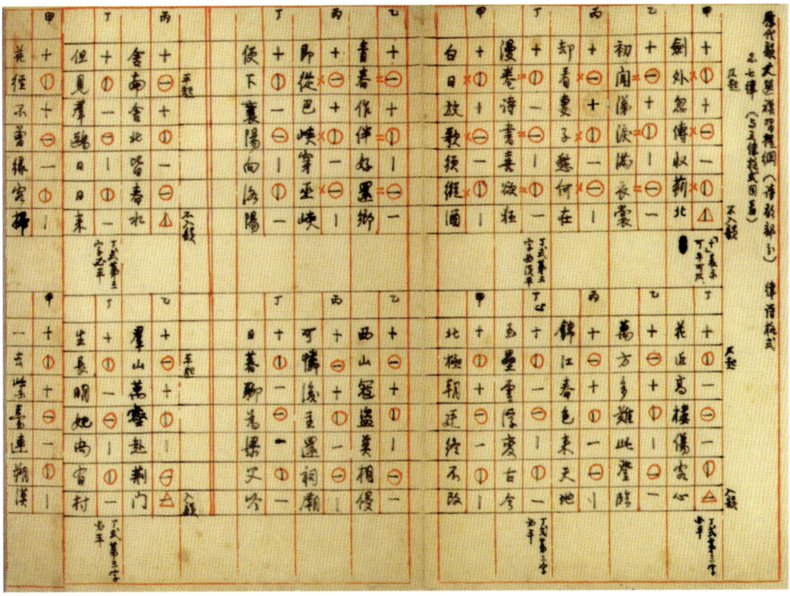

发现，伯希和、斯坦因劫走大批藏品，到《张义潮变文》、《王昭君变文》和《燕子赋》等众多内容，使我们这些刚上大学的学生们了解到许多从未听说过的知识。到后来王重民等六位先生整理的《敦煌变文集》出版了，我们才知道给我们讲课时可能先生正在关注、研究变文。1934年和1948年王重民、王庆菽两位先生先后从伦敦、巴黎带回来一些敦煌变文的照片和抄件，这期间学术界出现了敦煌文学的研究热，而启先生正是把当时最'前卫'最新的信息传达给我们了。"

启功着手研究敦煌变文，曾与向达、王重民、周一良、曾毅公、王庆菽诸位学者标点敦煌变文俗曲，1957年出版了《敦煌变文集》（与王重民合编）。

《红楼梦》是我国古代一部具有高度思想性和艺术性的文学巨著，在中国文学史上占有极其重要的地位。这部作品在生活背景、语言词汇各方面都有它的时代和地区特点，特别是作品中使用的北京俗语、服装样式、某些器物的形状和用途、清代的官制以及作品描写的人物和人物的社会关系、生活制度与习惯、书中的诗词内容等等，一般读者不熟悉，不好理解，不容易读懂，有些还是很深奥的。为了帮助一般读者读懂这部名著，就要加上注释。1953年，人民文学出版社决定出版《红楼梦》程乙本。经俞平伯先生推荐，启功为《红楼梦》作注释。俞先生说："注释《红楼梦》非元白不可。"

启功在这方面的研究成果很快就融入了教学。在北师大中文系古典文学的教学当中，青年教师和学生常常提出各式各样有关《红楼梦》的问题。为了帮助青年教师搞好教学，帮助学生们阅读好这部古典名著，启功对书中的年代、人名、地名、官职、服装、器物、习俗、称谓等加以诠解，1963年撰写了《读〈红楼梦〉札记》。他在《读〈红楼梦〉札记》的开头就说，《红楼梦》描写了"许多生活制度、人物服饰、器物形状等等。特别是清代旗籍里上层人物的家庭生活，更写得逼真活现"。又说："但是如果仔细追寻，全书中所写的是什么年代、什么地方，以及具体的官职、服装、称呼，甚至足以表现清代特有的器物等等，却没有一处正面写出的。这不能不使我们惊诧作者艺术手法运真实于虚构的特殊技巧。"在《〈红楼梦注释〉序》里他还说到:"我们现在的画家最困难的是画《红楼梦》人物图,某个人物的服装,在书中写得花团锦簇,及至动笔画起来,又茫然无所措手了。"启功举第三回所写的王熙凤的装束为例:"头上戴着金丝八宝攒珠髻,绾着朝阳五凤挂珠钗","如果对这种装束作认真的考证,几乎是不可能的,因为谁也说不出它具体是什么样子",是"迷离惝恍的发髻"。这是就实证方面而言的。但就艺术效果方面说,却无妨"使读者觉得眼前有一个珠围翠绕的青年贵妇的发髻"。这里表现的是《红楼梦》作者曹雪芹艺术手法中的"运真实于虚构的特殊技巧"。既是"特殊技巧",就与其他小说有区别。这又涉及文学作品虚构手法的理论问题。小说创作中有虚构,这本是常识,也是一些文学概论著作中必讲的ABC,大抵会指出故事、人物、时间和地点都可虚构,但很少谈到服装、器物的虚构。相反,人们往往利用一些小说作品中写到的名物来作历史考证。但《红楼梦》中描写的一些服装、器物是无法利用来作历史考证的。甚至《红楼梦》中描写的食品菜肴也是无法考查的。启功在《〈红楼梦注释〉序》中说到《红楼梦》三十五回中所写的"莲叶羹等稀奇古怪的食品",到底是什么样子,是很难索知的,但"读者也会理解它是一种'富极无聊'的人们折腾出来的一种吃法,也就够了"。这里所说"也就够了",意谓虽是虚构的食品,却又使读者有真实的感觉。

启功之所以能够判断《红楼梦》中所描写的不少名物器具是生活中并不存在的东西,那是依靠着他的学识和功底。他由此而论说《红楼梦》作者的"运真实于虚构的特殊技巧",又是抓住了《红楼梦》艺术描写上的一个重要特征,也不妨说是它和其他小说在艺术虚构上的一个比较重要的区别。不同的小说作品在这类虚构上确是有区别的。由此类推,其他文学门类(如诗词)在虚构上也是有区别的。因此,从启功的分析判断我们可以明白,利用文学作品中的名物作考证并用来证史,必须采取谨慎态度。

20世纪60年代初,北师大中文系的教授王汝弼、李长之和聂石樵、张俊、周纪彬等中青年教师编写了《红楼梦教学参考资料》,在

六四　《红楼梦》程甲本书影

此基础上又于1975年集体编写了《红楼梦注释》，也请启功参加了
编写工作。为有助于教学，使学生理解作品的内容，在注释中还引
证了一些清代史料。这本《注释》解决了当时教学的急需。

　　"文化大革命"以后，北京师范大学图书馆发现藏有《红楼梦》
程甲本的翻刻本，学校组织专家整理注释，请启功担任顾问，在他
的指导下，经过五六位专家的共同努力，于1987年正式出版，为红
学研究者和爱好者正确学习和理解《红楼梦》提供了方便(图六四)。

　　20世纪50年代初，学校根据教育部的决定，贯彻《北京师范大
学暂行规程》，要求北师大培养出来的人才"必须有为人民服务的精
神，能够掌握马列主义、毛泽东思想的基本内容，进步的教育科学、
教育技术以及有关专门知识"，还规定了"理论与实际一致"的教学
原则，并学习苏联经验，改革教学，建立教学研究室。启功被分配
在古典文学教研室。教研室是一个新事物，采取集体备课、分工教
学、互相评议、取长补短的方式提高教学质量。启功开始开设《历
代韵文选》课程，后又陆续开设过《中国文学史》、《历代散文选》和

《中国古典文学作品选读》诸门课程。他以满腔热情，全身心地投入新的工作。这样的教学组织，在课程安排、教学方法、教学环节等方面都与过去不同，启功遇到一些新的问题和不适应，如苏联专家要求的课堂教学五个环节，文学史教学中的分段制，讲唐就不能联系到宋，他都有自己的看法。但是在那种特定的条件下，他却能灵活运用陈校长的九条"上课须知"，活跃课堂空气，使学生在宽松的氛围中接受知识。在古代文选课上，除一字一句的串讲外，他还常用比喻、图解帮助学生理解课文，也常出人意料地联系各种知识，提出发人深省的问题，启发学生的智慧。有时在自问自答中深入浅出地解答学生的疑难，使课堂所讲的内容，不但"血肉丰腴"，而且妙趣横生。有时还伴有精美的板书，使学生既获得了知识，又得到了审美的享受。在提高课堂教学质量的同时，他还努力帮助学生做好课下复习，巩固已经获得的知识，亲自给学生编写复习提纲，做好课下答疑，很受学生欢迎。当时，除本系的专业课外，还要安排一部分教师担任外系的公共课教学，系里有很多人不愿担任外系的公共课。因为外系学生的文学功底大多不如本系，而且水平差别较大；对不同系、不同专业的学生讲课还要联系实际，还要有针对性地选教材和讲解，教案也不相同，所以多担负一个外系的教学任务，就多出一个头绪，对教师的要求比较高。启功主动提出多担任一些外系的课，承接了教育系、历史系的古典文学课。在头绪多、任务重的新情况面前，他以积极的态度，努力探索、试验，熟悉教材，认真备课，尽量使自己的课能针对不同专业学生的实际，教得生动活泼。为外系教课，比在系内教专业课要累，但他认为自己是人民教师，就要兢兢业业地为人民服务，他要把自己的知识，无保留地奉献给自己的学生们。因此他的授课时数，在中文系的教师中，属于最多的之列。

1956年，启功被提升为教授。同年，教育部为贯彻"全面发展因材施教"的方针，加强科学研究、基础课教学和师资队伍建设，进一步提高教学质量，组织了"教育部视导团"，到南方视察师范教育。视导团由教育部副部长柳湜带队，参加人员有教育部督导员杜桂福、冯惠德以及教育部部长顾问苏联专家费拉托夫，主要成员由北京师范大学的专家组成，有数学系教授张禾瑞、物理系教授张宗燧、中文系教授启功和党委书记李开鼎。视导团一行首先到达上海、广州。在华东师大、上海师大听取教学情况汇报，分头到系里听课。张禾瑞听数学课，张宗燧听物理课，启功听语文课，听课以后分头参加评议，交流教学经验。以后又到南昌、厦门、福州、梅州等地视察指导，最后到广东梅县中学视察、听课，了解基础教育的状况。视导团的活动为教育部提供了新中国建立初期师范教育和基础教育的第一手资料，反映了他们了解到的基础教育工作的成就和存在的困难或问题，提出了改革的建议。

视导团一行在厦门受到了著名华侨领袖陈嘉庚先生的热情欢迎。陈嘉庚亲自陪同他们参观了他亲手创办的厦门大学和集美学校，并设家宴招待他们。席间陈嘉庚得知启功是皇族出身，今天能为新中国教育事业尽心尽力，而且年轻有为，已成为教育专家，特别表示祝贺。随后在集美学校组织了一个以"培养新型人民教师"为主题的青年教师座谈会，请启功在会上介绍经验。启功以自己的亲身经历，讲了四点体会：作为人民教师，首先要勤奋博学、弘扬国粹，想给学生一桶水，自己就要准备十桶水；二是求真务实，师生平等，教学相长；三是联系实际，古为今用；四是诲人不倦，以身作则。

三　中年坎坷　矢志不渝

（一）莫名其妙地被划为"右派"

教育部视导团回到北京后，正当启功想为教育事业尽心尽力之时，1957年6月8日，中央人民广播电台广播了《人民日报》的社论《这是为什么》。北京师范大学的校园里高音喇叭震天响，一场风暴首先朝着高校中的知识分子袭来——反"右派"斗争开始了。在这场风暴中，启功被剥夺了上讲台的资格。这时他刚刚四十五岁，正是在教学和学术上该出成果的时候。

启功作为北京师范大学的教授，运动初期，在本校并没有什么问题。但是到了1958年，他却戏剧性地在中国画院被莫名其妙地划为"右派"。原来事出有因。解放以后，著名的画家叶恭绰（1881~1968，字誉虎，广东番禺人）受周恩来总理的邀请从香港回到北京，任政务院文化教育委员会委员，受命组建中国画院并任院长。叶恭绰延揽了一批中青年画家到画院工作，也邀请启功到中国画院去。启功考虑到自己是跟随恩师陈垣先生来北师大的，学校的教学任务重，不愿在恩师急需用人的时候离开北师大。陈垣对他说"可以去一半"，启功说："一半也不能去，只能去帮帮忙。"反"右派"运动中，叶先生被划为"右派"。因为启功是叶恭绰请来的人，并曾替他起草过一些文件，画院的某些人便说启功是叶先生的"狗头军师"，又因为每个单位的"右派"分子都要有一定比例，来帮忙的启功竟也被凑成为"右派"一分子。后来启功的"右派"关系又被转回北师大。

谈到被划为"右派"时，启功说："我被划成'右派'是预料中的事，像我这样出身的人，能是'左派'吗？可怕的不是划成'右派'，可怕的是当时的提问：'你是不是"右派"？'回答：'是'。又问：'你要老实交代是怎么反党反社会主义的？'这就答不上来了，怎么编反党反社会主义的事实呢？怕就怕在这里。"

启功被划为"右派"之后，画院的领导还指派过一位同志天天去启功家。但是他知道启功的为人，他们不谈政治，不谈工作，只谈"黑老虎"（碑帖），后来竟然成为最知心的朋友。

"右派"关系转到北师大后，启功的教授职称被取消了，工资也被降了一级。那时，他的母亲和姑姑刚刚去世，对启功来说，这无疑是雪上加霜，是极为沉重的打击。

启功的恩师陈垣对启功在政治上遭受的打击也很难理解（图六五）。他对启功很了解，知道启功不会反党反社会主义，不会是"右派"，但事实上"右派"帽子扣在了启功的头上，他作为校长，又要

六五　1969 年，在"文化大革命"的艰难岁月中启功和刘乃和看望陈垣先生。

与他心爱的"小孩"划清界限。在启功最困难的时候，陈垣一次去琉璃厂，发现启功收藏的明、清字画流入琉璃厂的画店。他知道这些字画是启功最心爱之物，启功既然把心爱之物都卖掉，想必经济十分拮据了。陈垣便买下了这些字画，并立即派秘书去询问启功的情况，送去一百元钱，在经济上也给予他帮助。启功深深地感受到了老人家给他的温暖，在精神上得到了极大的安慰。恩师的关怀和鼓舞，使启功在逆境中坚持下来，并在学术上有所建树。

1959年启功的"右派"帽子被摘掉了，按人民内部矛盾处理。但是"一般人"还是另眼相看，把他称作"摘帽右派"。

1960年以后的三年困难时期，北京师范大学在北京市顺义县牛栏山公社白庙村建立了农场，组织下放干部轮流参加劳动生产，每期半年，启功先生也被下放参加劳动锻炼（图六六）。

六六　启功1960年下放劳动时与北京师范大学的下放师生
　　　合影，后排右起第四人是启功。

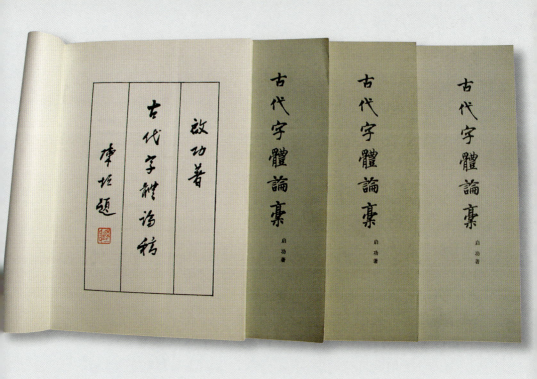

六七　《古代字体论稿》书影

　　"右派"分子不能再上讲台，启功想，当"右派"也许还可以在学术上、艺术上做出些贡献。他就充分利用劳动改造的业余时间，潜心于学术研究，读书、撰写文章。在以往的古汉语教学中，启功发现了汉语文字形体、发音的一些规律，曾构思整理成文，但由于教学繁忙而搁置，这下终于有了时间。

　　1962年，启功完成了他的第一部专著《古代字体论稿》。这部专著用大量的文献资料和实物互相印证，对古代字形字体方面存在的问题，尤其是文献记载的字体名称和形状的变化，从实物和资料两方面作了综合考察，探索了古代各种字体名和实、体和用的关系，使千年乱丝条理清晰了。这部书对汉字学和汉字历史的理论贡献，引起学术界的广泛重视。这部专著1964年出版以后，几经再版，已成为当今研究古代字体的专家学者和教学工作者必读之书（图六七）。完成《古代字体论稿》之后，启功接着又继续撰写了《诗文声律论稿》。他结合教学实践，探索了古典诗、词、曲、骈文、散文等各种文体的声调，特别是律调的法则，归纳出其中的规律。这是一本很见功力的诗文声律研究专著，为古典诗词研究和教学提供了驭繁于简的重要工具。由于这本书语言精练，对诗文声律规律的论述和分析深入浅出，简洁明了，也很适合初学者阅读。这部著作从1961年开始构思，到"文化大革命"中，经过多年的反复推敲和修改，书稿盈尺，已经成熟。但是那时候学者出版一本专著谈何容易。书稿放在家里，启功心里不踏实。"文化大革命"中流行"工农兵集体创作"之风，他真怕被充为公共财产。天有不测风云，万一再下放改造，又怕书稿丢失。启功于是想了一个办法，找来最薄的油纸，晚上在灯下用蝇头小楷抄写，尽量压缩字数，最后完成了一部六万字的手抄本，如有紧急情况，随时可以缠在腰间带走。这部书直到1977年"四人帮"被粉碎后才由中华书局正式出版(图六八)。

　　在史无前例的"文化大革命"期间，启功又是被审查和改造的对象。当时被改造的对象分几类：有关进牛棚实行专政的，有"挂

六八　《诗文声律论稿》书影

起来"的，有"靠边站"的。在那时，关进牛棚的是"牛鬼蛇神"；被"挂起来"比起关进牛棚要幸运一些，但属于被监管对象，没有完全的自由；"靠边站"的待遇又比"挂起来"的要强，因为还能站着，有自由，至少还是人，还有一点人格尊严。

启功属于被"挂起来"的一类，被允许参加运动，可以参加讨论、学习，可以为造反派抄大字报，晚上可以回家，不过要随叫随到，只有部分自由。他把这种"待遇"比做是在"臭老八"和"臭老九"之间。他曾引用陶渊明的诗句中的"草屋八九间"写过一副对联："草屋八九间，三径陶潜，有酒有鸡真富庶；梨桃数百树，小园庾信，何功何德滥吹嘘。"（图六九）恰好"八九间"有双关寓意。他还刻了一方"草屋"二字的闲章（粉碎"四人帮"之后落实政策，为了消除影响，他把这个章磨掉了）。由于经过反右斗争，他坚信自己没有什么了不起的问题，安慰妻子说："我既非地富反坏右，又不是叛徒、特务、走资派，不管运动怎么进行，我也就是这样了。"

"文化大革命"初期抄家成风，北师大中文系的红卫兵来到他的家中检查"封资修"，问他："你有什么'封资修'？"他答到："没有'资'、没有'修'，只有'封'。"他平时平等对待学生，学生对他没有坏印象，就说："好！那就给你'封'了吧。"再一批红卫兵来，见到封条也就不再追问。他的书籍由于全部被"查封"得以保留下来，他就利用"挂起来"的一点自由，白天参加劳动抄大字报，晚上发愤读书、写作。至今启功回忆起当年抄大字报的生涯时，还幽默地说，他写的字是"大字报体"，并总结出五条好处：

一是写起来不心痛纸；

二是写完了势必要贴在墙上，一上墙毛病都能看出来；

三是他们这些"分子"都要天天看大字报，从而越发地能比较出其中的优缺点来；

四是很多激动的场合是要在已经上墙的纸上去写，必然要悬腕、悬肘，是一种很好的练习；

五是养成"大家不择笔"的风度，什么笔抓起来都能

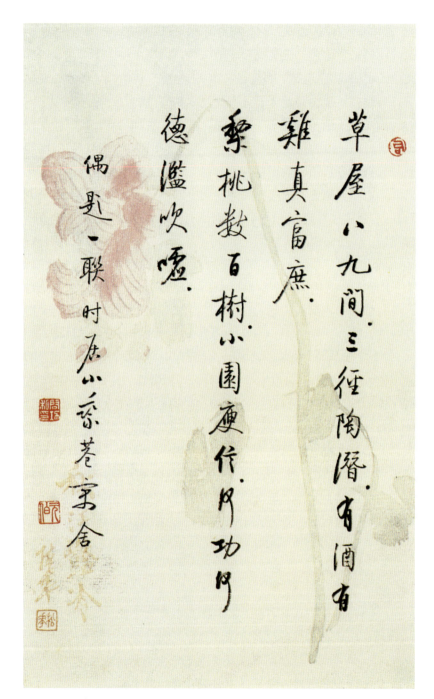

草屋八九间，三径陶潜，有酒有

鸡真富庶。

梨桃数百树，小园庾信，作赋功

德滥吹嘘。

偶题一联，时庚小蔡苍字舍

六九　启功手书对联

完成任务。

当然，写大字报也并非完完全全是乐事，有一件事曾使他心惊肉跳。工宣队、军宣队进驻北师大以后，师生混合按班、排、连的建制编队，参加拉练、支农劳动等，启功被分配在一连六排二班，班长由解放军担任。一次领导派他们几位年纪大的"挂起来"的对象去周口店写标语宣传"最高指示"，帮助农民抄大字报、画漫画。他们想把这个任务完成好，自己凑钱买了红油漆，精心策划，认真书写，干了几天才完成任务。回到城里，却发现满街贴了大字报，批判"红海洋是个大阴谋"。风云变幻如此之快，说不定什么时候就会大祸临头，怎不让人心惊肉跳呢？启功忐忑不安地过了些天，见没有人再提起这事，才逐渐放下悬着的心。

1971年的一天，北师大中文系军宣队领导找启功谈话，命他"立即到中华书局报到，接受一项重要任务"。启功问是什么任务，对方说："大概是关于'24师'的事吧！"这位领导竟不知什么是《二十四史》，误以为是部队的"24师"。

标点《二十四史》，是在毛泽东、周恩来直接关怀下，组织国内数十位一流的文史专家参与的大工程(图七〇)。在那种特定的历史环境下，启功能荣幸地接受这项任务，有一种强烈的满足感，他把多年的不幸遭遇抛在了脑后。人们不禁要问，一个被"挂起来"的"摘帽右派"有什么可满足的呢？他一方面是觉得自己有了一个可以工作的安静环境，暂时部分地实现个人的人生价值；另一方面他能有这样的机会把自己掌握的知识奉献给祖国，怎能不从内心感到高兴？

启功报到晚，任务已经分完，他就负责标点《清史稿》。他以忘我的精神、极严肃认真的态度，接受了这个光荣的任务。《清史稿》最后一卷有许多满文的人名，有人不认识，夹了许多小条，写"此卷须查档案"，启功则很容易地辨别清楚，一一标明，难题迎刃而解。

在中华书局他结识了一批新朋友(图七一)。他们在紧张的校点工作之余，也谈诗论画，无拘无束，敞开心扉交流思想。在那个非常时期，当了解他的朋友知道他所受的委屈，表示对他的同情和安慰时，他对"委屈"并不在意，很达观地认为："运动受触及绝非一人，

七〇　标点《二十四史》、《清史稿》同人合影（1973 年）

荣则同荣，屈则同屈，所以值不得大惊小怪。"但在有机会把自己的知识奉献给人民的时候，他就感到最大的安慰。由于启功对清代历史、人物、典章制度、社会风俗、文化艺术各方面都具有比较丰富的知识，标点《清史稿》的工作十分精细，为保存祖国的文化遗产做出了重要贡献。他对于治史有自己独到的见解，在一篇《乾隆以来系年要录》的跋文中，他明确指出："史官为帝王所雇佣，其所书自必隐恶扬善，歌功颂德。……后世秉笔记帝王事迹之书，号曰《实录》，观其命名，已堪失笑。夫人每日饮食，未闻言吃真饭，喝真水，以其无待申明，而人所共知其非伪者。史书自名实录，盖已先恐人疑其不实矣。又实录开卷之始，首书帝王之徽号，昏庸者亦曰'神圣'，童骏者亦曰'文武'，是自第一行即已示人以不实也。"

　　封建帝王把史书作为标榜其统治、为自己树碑立传的工具，史官要歌功颂德，就免不了文过饰非，粉饰太平。所以对他们的"实

七一 启功与中华书局的几位朋友在一起。左起：熊国祯、启功、赵诚、程毅中。

录"也要有自己的认识。启功标点《清史稿》，就坚持了"实事求是、去粕存精"的态度。

自1971年至1980年，整整十年的艰苦工作，启功终于完成了交给他的标点《清史稿》的任务。

（二）自撰墓志铭

在1957年参加反右运动、1958年被补划为"右派"、1966年"文化大革命"中被冲击、1978年被彻底平反的二十年中，启功在政治上为千夫所指，生活上异常艰苦，至亲和恩师也先后离他而去，使他成了名副其实的孤儿。

母亲病逝时，启功曾路遇叶遐庵（恭绰）先生，叶先生同情地流泪安慰说："我也是孤儿呀。"随后不久，两人先后在"运动"中被划为"右派"。多年以后，启功为"长往"的叶先生的书画集题跋时写道：

　　　　昔当先母病剧时，功出市附身之具，途遇高轩，先生
　　执功之手曰：'我亦孤儿也。'言次泪下沾襟。其后黑云幻
　　于苍穹，青虫扫于草木，绵亘岁年，而先生亦长往矣。……
　　今裂生纸，草短跋，涕渍行间，屡属屡辍。虽然，纵果倾
　　河注海，又讵能仰报先生当年沾襟之一掬耶！

　　通过这苍凉的话语，人们不难想像在"黑云幻于苍穹，青虫扫
于草木"的日子里，一个政治上被孤立的人，亲情对他是多么的重
要；更可以感受到启功在失去至亲、恩师以后，在无情的岁月中独
自承受了多么大的痛苦。孤独与无助令他对每一滴同情的眼泪都那
样珍惜和怀念！

　　然而，对启功在二十年中所遭受的苦难，人们只是通过他在对
亲人、恩人、友人的纪念文字中获得片言只语的了解，更多的只能
从他那充满调侃幽默的诗句韵文中体味到（图七二）。他对自己的不
幸经历从来没有写过任何回忆文章，也从来没有对过去的人和事发
表过任何看法。家人和朋友感觉他一定有很多的委屈，大家希望他
能够诉说出来排解悲情。人们遭苦难受委屈时，何尝不可悲怆地呼
天地父母，何尝不可诉说、抱怨、寻求解脱之法，这本是无可非议
的人之常情。但启功从不抱怨，也不肯讲出来。他同友人谈起不堪
回首的往事时，讲的反而多是那时他自己或别人苦中取乐的趣闻和
笑话。他把痛苦放到哪里去了呢？

　　大家都明白他的调侃与幽默是与"有意排遣相关"，更进一步则
认识到，那是基于他浸心于文艺的愉悦感、博学多成的充实感带来
的自信与超然。他哪里是什么自轻自嘲，分明是一种欲盖弥彰的悠
然自得！

　　启功说："我是相信'命运'的，但不是通常大家理解的宿命论
的命运，这'命运'是由时间、地点、条件构成的，三者缺一不可，三
方面差一点碰不在一起，也构不成我指的'命运'。因而被划为'右派'
可以说是'命运'的安排。"这是对"命运"多么富于哲理的解释。

　　大家都知道启功当年成为"右派"的原因。然而启功明白，受
苦的不仅仅是他一个人，这场浩劫是整个社会的悲剧，是人们在历

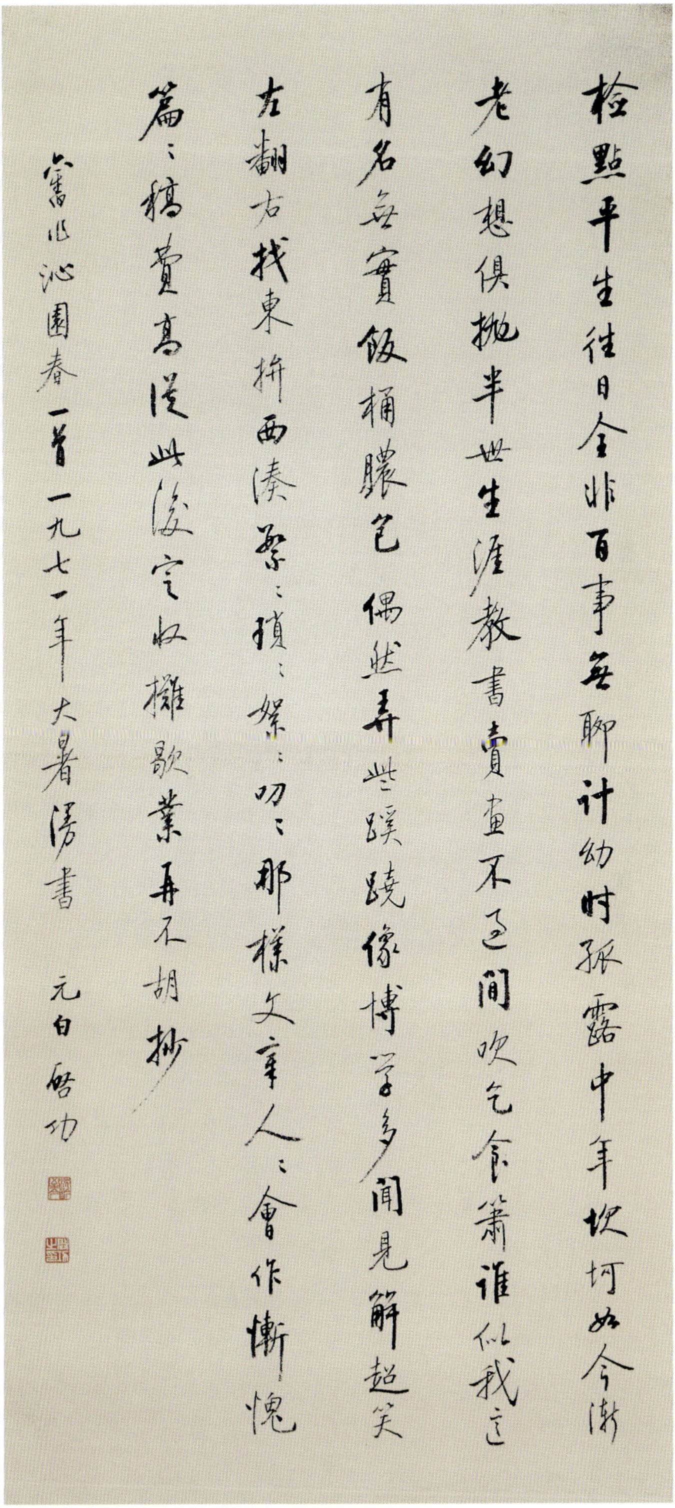
檢點平生往日全非百事無聊計幼時孤露中年坎坷如今漸
老幻想俱拋半世生涯教書賣畫不過閑吹乞食簫誰似我這
有名無實飯桶膿包 偶然弄些蹊蹺像博學多聞見解超笑
左翻右找東拼西湊繁繁瑣瑣絮絮叨叨那樣文章人人會作慚愧
篇篇稿費高從此後定收攤歇業再不胡抄
右調沁園春一首 一九七一年大暑漫書
元白啟功

七二　启功手书自作词一首

史上写下的一幕幕悲剧的延续，是人性自身弱点造成的不幸。悲悯使他没有嗔恨，没有指责，默默容忍了一切。所以他没有把苦挂在嘴上，也没有写到书里，更不拿来显现在身上，因为他确实不愿意让它们流入这个世界再徒增烦恼。

有一位先生，当年批判"右派"时批启功很积极，后来见到启功，觉得很不好意思，启功反而安慰他说："那个时候好比在演戏，让你唱诸葛亮，让我唱马谡，戏唱完了就过去了。"这是启功的真心话。

先哲在《大丈夫论》中讲到："世间众生以破苦故名为解脱，修悲者能破他苦即是胜解脱也。"惟有明了缘由的智者才能有如此堪忍之度量。启功虽是一个凡人，可他的所作所为堪称大丈夫！

"文化大革命"结束时，启功已经开辟了一条对古代字体和诗文声律进行独到研究的蹊径。他已融会了古文字学、经学、史学、哲学、宗教学、古典文学以及书法史、绘画史、礼仪民俗、古代典章制度等诸多学科，被他称为业余嗜好的书法由于史无前例的"运动"而练得"登峰造极"，所获得的声誉远远超过了他的本职工作。

他这个"右派"被彻底平反了！接着，书法家、画家、文物鉴定专家、教育家等各种头衔来了，崇拜者来了，荣誉、地位、财富都来了。

这一切，启功依然平静面对。他看着苦往甘来，轻声吟唱："荣枯弹指何关意。"无论逆顺伴随，好丑现前，他都能心平气和，不生烦恼。

不少人曾在网上、书报杂志中浏览过启功那首广为流传、看似戏言的《自撰墓志铭》：

> 中学生，副教授。博不精，专不透。名虽扬，实不够。
> 高不成，低不就。瘫趋左，派曾右。面微圆，皮欠厚。妻
> 已亡，并无后。丧犹新，病照旧。六十六，非不寿。八宝
> 山，渐相凑。计平生，谥曰陋。身与名，一齐臭。

这首写于"文化大革命"结束后的三言诗，正是他参透几十年苦辣酸甜的感受，亦如他曾为许多索书人所恭临过的四句偈所诵："一切有为法，皆梦幻泡影；如露亦如电，应作如是观。"

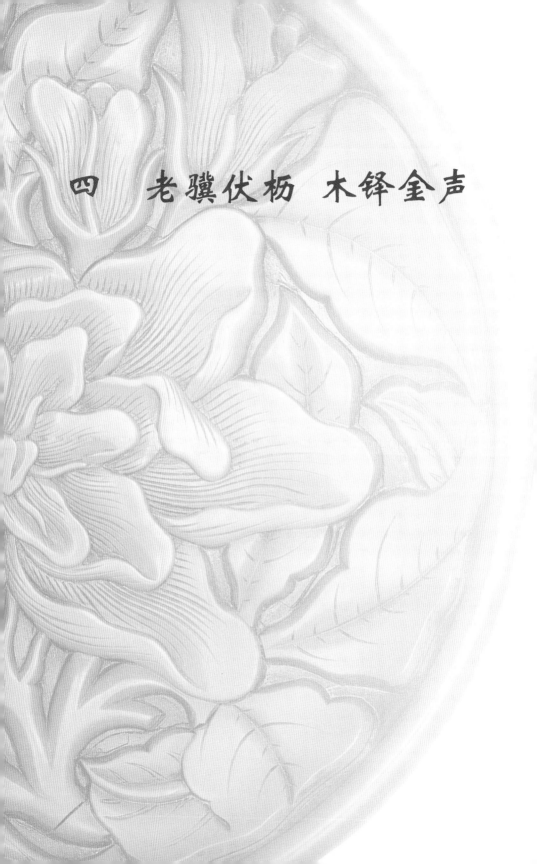

四　老骥伏枥　木铎金声

（一）重登讲台　师生共勉

1976 年粉碎"四人帮"，全国人民欢欣鼓舞。1978 年中国共产党十一届三中全会的召开，开创了改革开放和社会主义现代化建设的新时期，也带来了科学和教育的春天！

1977 年恢复高考。北京师范大学迎来"文化大革命"后第一批本科生入学，开始实行新的四年制教学计划。1980 年，标点《清史稿》的工作结束了，启功又重新登上讲台。他虽已年逾花甲，体弱多病，仍以顽强的精神和青年教师一起争分夺秒，为恢复教学秩序而无私奉献。他在写给新同学的《共勉》诗中表述了极其兴奋的心情："粉碎'四人帮'，日月当头换。政策解倒悬，科学归实践。长征踏新途，四化争贡献。"（图七三）他以高度负责的精神和热情，帮助耽误了学业的一代青年人夺回失去的时间。在同一首诗中他语重心长地告诫同学们："寄语入学人，寸阴应系念。三育德智体，莫作

七三　《〈共勉〉一首致新同学》诗稿（1980 年）

等闲看。学位与学分，岂为撑门面。祖国当中兴，我辈肩有担！"

启功当时担任北师大中文系古典文学教研室主任，为了给青年们创造学习条件，他尽最大力量多做工作，不但教本科生的课、带研究生，还主动要求兼夜大学生的课。对登门求教的社会青年，他也热情接待，耐心辅导。他理解"文化大革命"中失去学习机会、今天已在工农业生产岗位上的一批年轻人渴望学习的心情，于是他在政协的会议上多次为发展业余教育提出提案，积极建议办好业余教育、函授教育。

1978 年，中共中央提出落实知识分子政策、拨乱反正，北京师范大学党委作出决定，为 1957 年被错划为"右派"和在"文化大革命"中遭受不公正待遇的教师、干部恢复名誉，正式宣布启功的"右派"属于错划，应予改正。启功默默等待了二十年的一天终于来到了。学校为他恢复原工资，后又准备为他再加一级工资。启功给校党委写了一封措辞诚恳的信，说："我现在只身一人，现有工资足够用了。"他坚持把这一级工资让给了更需要的人。

党的十一届三中全会以后，随着改革开放，教学科研工作成为北京师范大学的中心工作。北师大是首批对外开放的高校之一，对外文化交流也日益繁忙。启功作为少数民族的知名人士，被选为全国政协委员、北京市民族事务委员会的委员，参政、议政，各种会议也很多。那时他还住在小乘巷内弟家，已六十五岁的老人，先是骑自行车，以后又挤公交车往返于北太平庄和小乘巷之间，每天早起晚归很辛苦（图七四）。由于"文化大革命"十年间市政建设的停顿，北京市的市内交通很不方便，车少、人多、路窄，尤其在上下班的高峰期乘公交车十分困难。启功先生曾作《鹧鸪天八首·乘公共交通车》记述他的遭遇。前三首描述了等车的焦急心情：

乘客纷纷一字排。巴头探脑费疑猜。东西南北车多少，
不靠咱们这站台。　　坐不上，我活该。愿知究竟几时来。
有人说得真精确，零点之前总会开。

远见车来一串连。从头至尾距离宽。车门无数齐开闭，
百米飞奔去复还。　　原地站，靠标竿。手招口喊嗓音干。

七四　启功20世纪80
年代乘坐公交车
所用月票

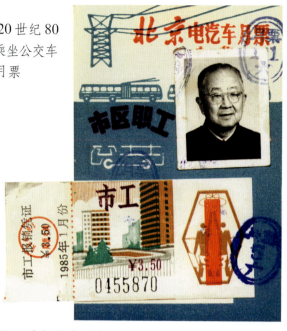

司机心似车门铁，手把轮盘眼望天。

　　这次车来更可愁。窗中人比站前稠。阶梯一露刚伸脚，门扇双关已碰头。　　长叹息，小勾留。他车未卜此车休。明朝誓练飞毛腿，纸马风轮任意游。

挤上车之后，由于车内拥挤，更是难以忍受的痛苦，被挤得唇焦舌敝，像驴皮影戏人，像板鸭，像笼中鸟：

　　铁打车厢肉作身。上班散会最艰辛。有穷弹力无穷挤，一寸空间一寸金。　　头屡动，手频伸。可怜无补费精神。当时我是孙行者，变个驴皮影戏人。

　　挤进车门勇莫当。前呼后拥甚堂皇。身成板鸭干而扁，可惜无人下箸尝。　　头尾嵌，四边镶。千冲万撞不曾伤。并非铁肋铜筋骨，匣里瓷瓶厚布囊。

　　车站分明在路旁。车中腹背变城墙。心雄志壮钻空隙，舌敝唇焦喊借光。　　下不去，莫慌张。再呆两站又何妨。这回好比笼中鸟，暂作番邦杨四郎。

在到达目的地前的两三站，就要提前往前挤，不然就下不去车了：

　　　　　入站之前挤到门。前回经验要重温。谁知背后彪形汉，
直撞横冲往外奔。　　门有缝，脚无跟。四肢着地眼全昏。
行人问我寻何物，近视先生看草根。

　　　　　昨日墙边有站牌。今朝移向哪方栽。皱眉瞪眼搜寻遍，
地北天南不易猜。　　开步走，别徘徊。至多下站两相挨。
居然到了新车站，火箭航天又一回。

　　这里的第七首描述了启功先生亲身经历的一次险境。在他准备
下车刚刚到车门口还未站稳时，一个年轻小伙子从后面撞了过来
（其实他也是被后面的人拥的），把老先生挤倒在车下，摔得鼻青脸
肿，眼镜也被甩到了一边，十分危险。为了他的安全，1981年底学
校设法给他在校内安排了一间宿舍暂住。又过了一年，启功搬进现
在依然居住着的红六楼，这时启功已年过七旬。

　　红六楼是20世纪50年代给苏联专家建造的一栋两层宿舍楼，后
来分配给老教师住，上下层各住两家。启功住楼上西侧四间，虽然
设备落后，楼体陈旧，但比起小乘巷的两间小南房要好多了。楼前
有一棵高大的法国梧桐，树冠随风而动，夕阳西下时，阳光透过缝
隙很快从窗前一掠而过。启功就把这座楼戏称为"浮光掠影楼"（图
七五）。他谦虚地说，自己研究学问不深入，所学所知像浮光掠影一
样，是表面的。自1982年起，二十多年来，他读书、备课、作书、
作画、接待朋友、给研究生上课，都在这"浮光掠影楼"里。

　　自20世纪80年代中期开始，近二十年来，在指导硕士和博士研
究生及繁忙的社会活动之外，启功还要拿出相当多的时间接待慕名
前来索字的人。经常是从早到晚宾客盈门，使他无法静下心来思考
问题或写作。他越来越感到时间不够用，因为他要把自己这一生研
究、学习的心得和经验尽可能多地留给后人。为了整理论文和书稿，
他经常在晚上静下来时加班加点，有时为了不打断思路，"浮光掠影
楼"的灯光就通宵达旦地亮着。这样紧张的工作，曾使年近八旬的
老人几次住进医院。

　　1979年，为适应新时期教育发展的需要，加强对科研学术工作

七五　　"浮光掠影楼"外景

的领导,北京师范大学成立了学术委员会,启功被选为校学术委员会委员。

1982年,启功创立了北京师范大学古典文献专业硕士点。

1983年秋,中共中央统战部和各民主党派组织一批专家学者到内蒙古自治区、宁夏回族自治区和甘肃、青海等地讲学,进行科普宣传。当时启功已年过七旬,他不辞长途跋涉,积极参加了这次支援西部教育事业的活动。

1984年,北京师范大学古典文献专业被国务院批准为博士点,启功被聘为博士研究生导师,开始招收古典文献专业的博士研究生。虽然年事已高,但他仍带病工作(图七六)。他是社会上公认的书法家、画家、文物鉴定家,社会兼职很多,但是他说:"这都是我的业余爱好,我一生教书,我的职业首先是教师。"因为他总忘不了自幼失学的痛苦,他要尽自己的力量,继承恩师陈垣的衣钵,为发现人才、培养人才尽自己的一份力量。

启功学识渊博,在几十年的教学实践中,他深刻领会陈垣先生的教育思想，灵活掌握陈垣先生的教学方法，针对不同对象因材施教、循循善诱，他的教学深入浅出引人入胜，深受学生们欢迎。经常有外系学生到中文系听他讲课，有时不得不改在大厅讲大课，连走道都坐满了人(图七七)。在对本科生的教学中，除《历代韵文选》、《中国文学史》、《历代散文选》、《中国古典文学作品选读》外，启功还长期讲授《历代诗选》和《唐宋词》诸门课程。无论教什么课，他都能得心应手，独具风格。自1982年开始招收古典文献专业研究生至今，二十多年来，先后培养毕业的博士生有八名，硕士生有

七六　启功书《踏莎行·自题小照》

七七　启功在给中文系学生讲"四声"

七八　1998年，启功和他的研究生合影（左侧是副导师聂石樵
　　　　先生，右侧是副导师邓魁英先生）。

七名。这些毕业生大都在教学和科研工作上做出了突出贡献，分别
被评为副教授、副研究员、教授或研究员，有的已成为博士研究生
导师。启功虽已九十岁高龄，现在仍在招收和培养博士研究生，目
前在读的就有博士生六名、硕士生十二名(图七八)。

（二）注重实践与科研

　　启功认为，具有深厚广博的知识，是对一名教师的基本要求。因
此他在长期的教学科研的实践中，很注意教学实践和科学研究的密
切结合，从教学实践中总结经验、探索规律，再用这些经验去丰富
教学内容、提高教学水平。几十年来，他以科研成果促进教学，在
许多方面都有创见。

　　他从汉语实际现象出发，不拘守于西方的语言学理论和语法分
析方法，对汉语语法的灵活性、汉语词汇的特殊容量、汉语结构的
特点以及汉语特有的声律、骈偶等修辞现象的内在规律等都有深入

研究和独到的阐述，陆续在学术刊物上发表。

1991年，一部总结他几十年汉语教学实践经验，系统阐述汉语语法问题的《汉语现象论丛》，在商务印书馆（香港）出版（图七九）。这部新著文化内涵极为丰富，加之观点新颖，旨意宏远，因而引起了文学界和语言学界的热烈反响。在北师大举行的"启功先生《汉语现象论丛》学术研讨会"上，许多专家给予高度评价，认为启功的《论丛》一书在三个方面有所突破："一、善于研究对象的实际。过去流行的'外国理论汉证'方法，很难适合汉语实际，像贴标签，启功对这种似是而非的做法，提出了全面的批评。过去没有提出韵文语法，启功第一个提出来了。二、字本位和词本位问题。汉语中字、词混合，字、词活用，同形词、同形字很多，容易混淆，对此，启功在《论丛》中提出了一条新思路。三、训诂、语法、修辞的一致性问题。语言学的这三个领域各有侧重，但根本是一致的，任何一方都不足以充分认识语言现象，应改变过去的学科分裂状况，将三方面更好地融和起来。"启功在这三方面是有突出贡献的。专家们在讨论中还谈到："现在提出要研究语言文化学，希望建立体现汉语特点的语言学体系，但存在的问题是，或者只有空洞的推论，或者

七九 《汉语现象论丛》书影

八〇　"启功先生《汉语现象论丛》学术研讨会"会场（1995 年）

只有单个的、成堆的考据，走向极端空泛或极端繁琐。这种现象已引起语言学界的普遍忧虑，大家都希望有一个新的开端。读了启功的《论丛》，感到就是一个新的开端，对上述两种偏向都有纠正作用。"专家们认为，启功是中国文化通，谈这些现象非常深入，也给大家出了很多题目，真知灼见很多，应该认真研究，继续做下去（图八〇）。

　　启功教书育人的突出特点是循循善诱因材施教，体现了他对学生的亲切关怀，应用了符合教育学规律的原则和方法。他总是从社会的实际需要和学生的不同水平出发，有针对性地讲授。他讲课从不照本宣科、人云亦云，而是讲自己独到的见解，讲活知识、活方法。他提倡博览群书，主张通学。例如他发现学生古典文学的基础知识比较差，就为学生开设文史典籍基本知识课程，名为《文史典籍整理》课程，最初戏称为"猪跑学"（北京有句俗话："没吃过猪肉，难道还没有见过猪跑吗？"），意思是追随前人开拓的道路，呼噜呼噜朝前跑。他主张对各学科广为浏览，把握各学科之间的相通处。他每周都要把学生找到家里讲上半天。内容涉及很广，包括对自古至今的文学、历史等各种书籍的阅读、校订、研究，也包括对历代名家的诗歌词曲的鉴赏评析。纵的方面,讲先秦以来中国文化的变迁;横的方面,涉及文字、音韵、训诂、目录、版本、校勘、官制、地理、典章、习俗等等,甚至教给学生怎样查资料、怎样用《康熙字典》。他认为,文史专业的学生,读点古书是最基本的功夫,因此,他经常指导学生做这方面的练习,还亲自指导学生作古文、写古诗,填词论典。他对学生的作业一字一句地批改,为的是培养学生的国学基础。他给研究生上课大都采用讨论方式,从最切合学生本人需要的地方入手,解决每个学生各自的问题,对学生在讨论中说得不正确的地方,都是耐心平和地指出来,督促学生自己寻找正确的答案。每次讲课结束前都留出一点时间,要学生提问,他一一解答。

启功社会活动很多,但无论多忙,他从不拒绝学生的请教,无论多累,他总是热情地接待学生。遇到当时找不到满意答案的问题,也要记下来,详细查找资料,下次回答或以通信的方式给予指导。有时与外埠学生为一个问题通信数次,每次数千字。有位学生写论文,需要参考日本学者的研究成果,启功就利用访日之机,四处为这位学生查找资料,并介绍国外学者同这位学生建立联系,帮助这位学生成功地完成了论文。启功从未因自己的私事去求人,但为了学生的成长他多次请朋友帮助,为学生学术成果的出版或毕业后工作的安排,他也逢人说项。在学生的成就背后,有着启功辛勤奔波的功劳和殷切的期望。

赵朴初先生生前在医院看病时,想到祖国历史文化的重要,便与启功商量,联合了几位朋友,向教育部建议在中学增设传统文化常识课程。教育部批准了这个建议。北京师范大学第二附属中学根据这个建议,2000年开始在高中招收了文科班,启功也给予热情的关照,并欣然应允担任他们的顾问。

2000年以来,在研究生课程教学实践的基础上,启功连续发表了《读〈论语〉献疑》、《〈文史典籍整理〉课程导言》、《"八病""四声"的新探讨》、《谈清代改译少数民族姓名事》等有创新见解的学术论文。

2001年经教育部批准北京师范大学中文系建立了两个"文科学

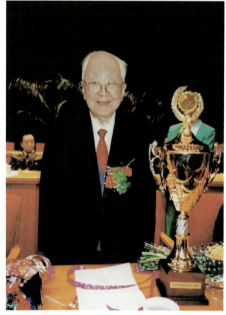

八一　启功和钟敬文主
　　　持"文科学术基
　　　地"成立会议
八一　启功获奖

术基地",一是"民俗、典籍、文字"的学术基地,一是文艺理论的
学术基地。启功被聘为典籍部分的导师,并任文艺理论部分的顾问
(图八一)。

　　由于启功在教学科研方面的突出贡献,他先后被评为"北京市

师德标兵"和"北京市职业道德明星"(图八二)。

（三）以身作则　为人师表

作为一位教育家，启功不但学问渊博，教学有方，而且几十年不亏操守，他高尚的道德更为人敬仰。他的藏砚中有一方砚的铭文是"一拳之石取其坚，一勺之水取其净"(图八三)。他取"坚净"二字把自己小小的卧室兼书房命名为"坚净居"(图八四)。坚净二字是他的性格和一生为人的真实写照。他给自己定的座右铭是："职为人师，人之所敬，虚心向学，安身立命。"(图八五)

他为人耿直，不媚上，不趋势，清正自持，是一位爱国正直的

八三　砚影

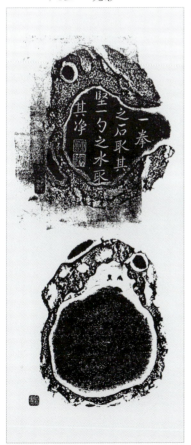

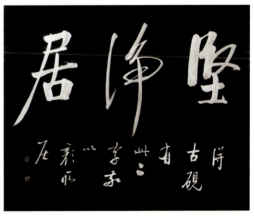

八四　坚净居匾

八五　座右铭手迹

学者。在他的朋友当中，既有"当官的"，也有"普通老百姓"，他都一视同仁。他十分厌恶某些人的阿谀奉承，有时甚至不客气地把他们拒之门外。他经常婉言谢绝记者的采访和拍照，不愿为名人词典、传记一类的作者提供资料。他对金钱、名利看得很淡，平时求字之人盈门，他却从不以字换钱，感情相投的人欣然相赠，话不投机的人千金难求。在筹集励耘奖学助学基金期间，社会上向他求字捐钱，他也从不自己经手，而是委托学校有关人员代办。

　　他重情谊，对待朋友有一颗赤诚的心，从不忘记在困难时和工作中帮助过自己的人。他在文博界、书画界有许多老朋友，大多是国宝级的人物。共同的事业、共同的爱好使他们走在一起。相近的经历，经受的磨难，几十年的莫逆之交，使他们心心相印。在工作之余，他们经常相互走访，促膝谈心，或交换见闻，或交流学术研究心得(图八六～九二)。有时大家给启功布置任务，或题书签，或写牌匾，或写序言，启功都欣然接受，而且认真完成。用他的话说，是

八六　启功与许德珩

八七 启功与董寿平

八八 启功与张中行

八九　启功与王世襄

九〇　启功与黄苗子

九一 启功与王己迁

九二 启功在荣宝斋和朋友们鉴赏书画

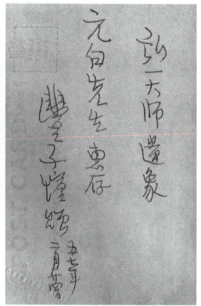

九三　弘一法师遗像及丰子恺题字

"掏心窝子"地认真，及时地交卷。也有老友知道他爱吃东坡肉，时而亲手烧好送来，共同品尝。近些年来，朋友们大多年事已高，走动不太方便，常常改为通过电话热线互致问候，遥祝健康。

他严于律己，宽以待人，以身作则，平易近人，时时处处严格要求自己。在他的书房里挂有弘一法师的玉照（图九三）和弘一亲笔书写的"南无阿弥陀佛"横匾。他说，弘一法师是他一生最佩服的长者之一。启功给笔者讲了弘一法师的一个故事：一次有朋友请客，因为有人没能按时到达，开饭迟了一点，客人到时，已过了中午12点。弘一有过午不食的习惯，那天就只喝了一点凉水。启功说："弘一法师在这样的小事上都十分认真，真可谓'仰不愧于天，俯不怍于地'，我十分敬佩。"启功平时对任何事也都十分认真。一次，他因一夜失眠，感到头晕，心脏不适。家人劝他休息，但是，刘九庵要他写的字尚未完成，他坚持写好按时交卷。他说："对刘九庵我是毕恭毕敬。刘先生出身琉璃厂学徒，十多年才出师，后来到了故宫，刻苦自学成了专家。他虽是学徒出身，但是学问不差，我这一知半

九四 启功与刘九庵

解的知识也是在琉璃厂学的。"（图九四）他还回忆年轻时拿个扇面去琉璃厂荣宝斋换点钱，然后到街对面的书店里买自己急需的参考书，自己不懂时，人家会热情地对他说，别买这一套，这一套是八卷本，另外有一套足本是十卷本；或会告诉他这个假，那个真，使他对版本的真伪多了一层知识。他说："认识他们自己得益不少，因为他们有实践经验，接触的都是一些大学者或版本权威，如陶湘、傅增湘、陈垣等。"

　　启功不计较个人待遇，平时粗茶淡饭，毫不讲究，家里堆满了书，却没有一件像样的家具。朋友送了一张长条桌，他铺上毡子当"写字台"，撤掉毡子当"餐桌"（图九五）。住房简陋，十分拥挤，有时不得不借用学校的会议室见客人。他患有气管炎，却和布满尘土的书堆同居一室，这对他的健康十分不利。保健医生曾多次给学校建议，应尽快设法帮他改善居住环境。但他对自己和家人都要求十分严格，从未因个人的生活问题向学校提出过什么要求。全国政协和中央文史馆的领导曾建议他搬到校外去住，他都婉言辞谢。他说：

九五　启功在书房

"地利、人和，我重人和，住在学校虽然条件差一点，但是离医院一百步，用车打个电话马上就到，非常方便。"

启功是一位十分宽容善良的老人，他有博大的胸怀，时时处处关心他人，为别人着想。一次他带着纸、笔去找赵朴初题字，走到赵家门口，忽然打起喷嚏，感冒了，就想到赵朴初身体弱，耳又重听，有时听不清别人讲话，要贴着他的耳边讲话，想到这里就不敢去见他了，怕把感冒传给赵朴初（图九六）。启功便在门口打电话请秘书下来，给赵朴初写了个小条说明情况，拜托秘书代办了。他住在小红楼以后，先后和周廷儒、刘若庄两位老教授做邻居。两位先生也都身体不好，有神经衰弱的毛病，他告诉家人平时开关门一定要轻，以免打扰他们。有客人离开时，他要亲自送到门口，为客人开门关门，怕客人用力带门惊动了隔壁的老先生。有的客人对这样高的礼遇不能接受，感到不安，他却说："行可过恭，丧可过哀，用可过俭。"坚持这样做。

他对学生在学业和品德方面的要求是十分严格的。学生的点滴进步和成果，他都给予极大的鼓励和爱护，从思想品德到学业全面

九六 启功与赵朴初

关心他们的健康成长。有的学生家境困难，他就慷慨相助。他的研究经费经常批给学生去购买书籍资料。学生开毕业论文答辩会，他亲自为他们联系专家。学生毕业离校时，他总要语重心长地谆谆嘱咐："把博士这个牌子收起来，虚心向周围的同志学习所长，也不要总说我是某某人的学生，这对你们的进步有好处！"在学生毕业之后，启功对他们的工作、生活还时时惦念，帮助他们解决困难，使他们安心工作。

（四）不忘恩师 筹资助学

1980年，北京师范大学为纪念陈垣校长一百周年诞辰，决定在全国政协礼堂隆重举行纪念大会。启功主动承担写会场主席台的会标，每一个字直径一米左右。当时他住在小乘巷，住房很小，家中也没有写大字的抓笔。他曾想到荣宝斋去借用大书案和抓笔，又不愿给人家添麻烦。年近七旬的老人就把四尺整张的宣纸铺在屋当中最开阔却不足两平方米的地上，把毛巾团起来制成一支特殊的抓笔，双膝跪地，左手扶地，右手抓紧毛巾团笔书写起来。在一旁帮助扶纸的学生感动地问："先生怎么下跪了？"他回答："给老师下跪有什么不应该呢？"由于房间小，写的字大，只能写一张晾一张，然后再写下一张。就这样，"纪念陈垣校长诞生一百周年"充满墨香的十二个大字，整整写了一个上午，字字凝结了启功对恩师的一片赤诚之心（图九七）。

启功博大精深的学问，来自他数十年间厚实的积累和深入的研究，而他自年轻时刻苦勤奋、问学求教，也给他的学问打下了坚实的基础。启功经常向别人谈起，他之所以能有所成就，是遇到几位诲人不倦的恩师，尤其是得益于陈垣先生。启功感恩于陈垣老师对自己的培养，于1988年8月正式向学校提出，给学校捐出书法作品一百件，绘画作品十件，自己捐出一万元装裱费，装裱后，于1990年陈垣先生诞生一百一十周年之际，在香港举行义卖展（图九八）。义卖展得到香港荣宝斋王大山经理和全体员工的大力支持，荣智健等知名人士踊跃认购。义卖获得圆满成功，筹集到三十余万美元（图九九）。启功取陈垣先生书斋"励耘书屋"中的"励耘"二字设"励耘奖学助学基金"，目的在于学习陈垣先生的爱国主义思想，继承和发扬陈垣先生辛勤耕耘、严谨治学的精神，奖掖和培养后学，推动教学和科研事业的发展（图一〇〇）。启功在写给学校领导的《捐献书》中说："我从二十一岁起，得识陈垣先生，从那时，受到陈老师的教导，直到陈老师去世，经历了近四十年。老师不但教导有关学术的知识，做学问的门径，以至处世做人的道理，恩谊之深，是用简单语言无法详述的。……我自老师去世后，即想找一种办法来纪念陈老师的教泽，又想不同于一次两次的纪念活动，便想到筹划一笔奖学助学基金，定时赠给学习、研究以至教学有卓著成果的和需要资助的同学们、同志们，借以绵延陈老师的教泽，为祖国的科学教育培养更多的人才，或可以上报师恩于万一。"

名师高足两代生辉，启功的义举在教育界传为佳话，充分体现了尊师重教的精神。到2003年，已有56名优秀青年教师、54名优秀研究生、72名优秀本科生和13部学术专著获得了奖学金（图一〇一）。

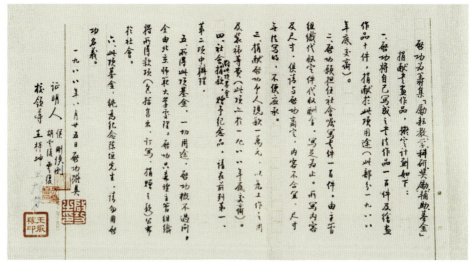

九七　启功手书"纪念陈垣校长诞生一百周年"会标

九八　启功为筹集励耘奖学助学基金拟定的计划书

九九　香港义卖展开幕式

一〇〇　设立励耘奖学助学基金捐款仪式（1991年）

一〇一　启功为首届励耘奖学助学基金获奖学生颁奖(1991年)

启功特别关注从贫困地区来的学生，从1996年起增设特困生助学金，每年资助50名，至今已有300名特困生获得了助学金。

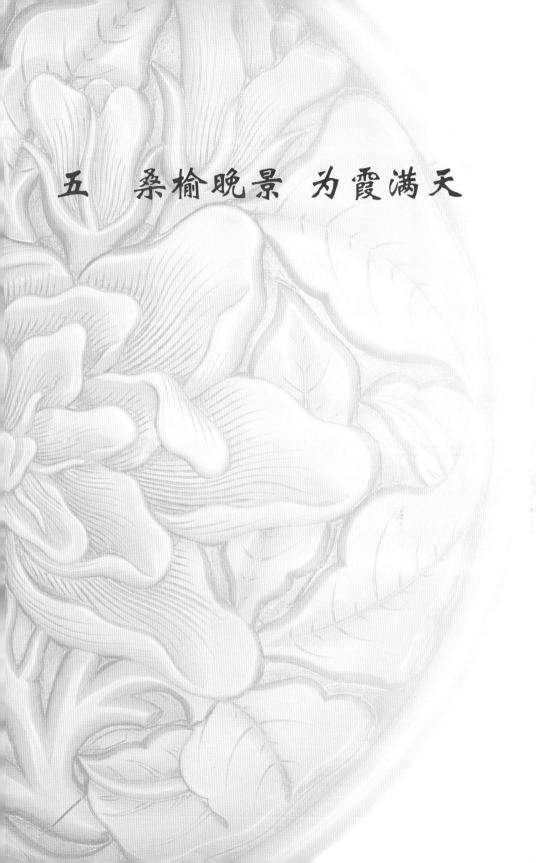

五　桑榆晚景　为霞满天

（一）学为人师　行为世范

1993 年，北京师范大学出版社迁入新楼，请启功先生为出版社题词，启功先生写了"师垂典则范示群伦"（图一〇二）八个大字。出版社的职工把这八个字作为自己的行为准则，镌刻在出版社大门前一对石狮子的底座上。

1997 年北京师范大学为迎接建校九十五周年征集校训，把校训作为学校培育人才的指导思想和师生的奋斗目标。许多师生提出所拟方案。校领导拟用启功先生给出版社的八个字作为校训，征求启

一〇二　启功为北京师范大学出版社题词

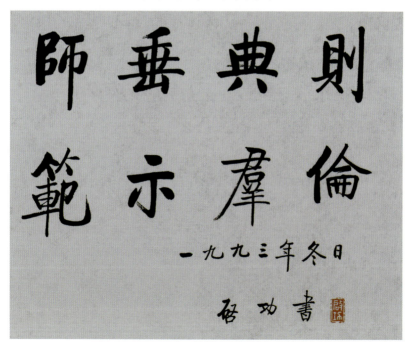

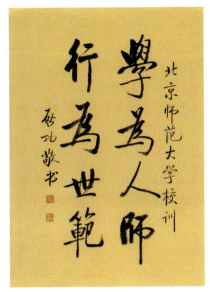
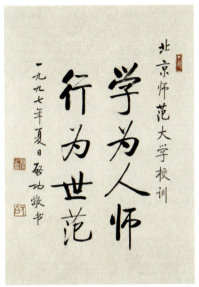

一〇三 启功为北京师范大学拟写的校训

功先生的意见。他说:"那八个字太文了,不够通俗,不宜作校训。"
过了几天,他拿来一张草稿,有"为人师表以身作则"等数条,其
中就有"学为人师行为世范"八个字(图一〇三)。最后经学校讨论,
选定了启功拟写的"学为人师行为世范"八个字,这八个字简明扼
要地概括了对全校师生的期望和要求,也十分贴切地反映了师范大
学应有的特点和百年名校深厚的文化积累。

启功讲他对这八个字的理解时说:"学,是指每位师、生应具
有的学问、知识以至技能。仅仅具有还不够,需要达到什么程度?
校训讲得明白,是要能够成为后学的师表。而师表的标准,我们
能理解,绝不是'职称'、'级别'所能衡量或代表的。行,是指
每位师、生应具有的品行,这包括着思想、行为、待人、对己。
方方面面,时时刻刻,都光明正大,能够成为世界上、社会中的
模范。这种模范,不用等待旁人选举出来,自己随时扪心自问,
有没有可惭愧的思想行动。校训没有任何人执行考试、考察、判
分、评选,但是每位师生,都生活在自己前后左右无数人的雪亮
而公平的眼睛中。"启功身体力行,以他的言传身教在学问和人

品方面为我们树立了光辉的典范。

（二）诗书画与文物鉴定的完美结合

启功的学问博大精深，成就是多方面的。他专心从教七十余年，首先是卓有成就的教育家。而社会上都知道，在老一辈的文博专家中，他博学多才，功力深厚。他的绘画作品均有诗词佳句题识，而他的书法作品又大多书写自作的诗词，观其画，赏其书，吟其诗，使人心情舒畅，回味无穷。而他多年的书画创作实践和深厚的文化素养、历史知识，又使他成为独具慧眼的文物鉴定专家。诗、书、画、文物鉴定在他的身上得到了完美的结合。

1. 诗人启功

前文曾经谈到，启功在古典文学的教学实践中，撰写有《诗文声律论稿》，对诗文声律及汉语的特性作了开创性的研究，取得了丰硕成果。他还撰写有《论诗绝句》、《论词绝句》以及关于诗歌创作理论的笔记等，言简意赅，有独到的创见。例如他有一条总结历代诗歌特点的笔记说："仆尝谓，唐以前诗是长出来的，唐人诗是嚷出来的，宋人诗是想出来的，宋以后诗是仿出来的。嚷者，理直气壮，出以无心；想者，熟虑深思，行以有意耳。"（图一〇四）这一论断对几千年来诗歌发展的历史作出了深入浅出的透彻分析，给青年后学很大启发。

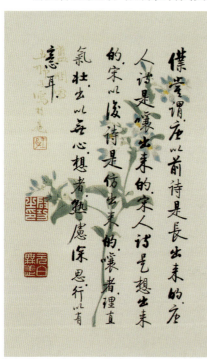

一〇四　启功论诗笔记

一〇五　《启功韵语》、《启功絮语》、《启功赘语》书影

　　启功对古典诗词造诣很深。在童年时代，姑母教他识字，他天资聪慧，悟性极高，当时已明白字有平声仄声。以后祖父又教他背诵古诗词，音调铿锵十分好听，引起了他学作诗词的兴趣，逐渐懂得了作诗须押《诗韵》。不到二十岁，启功即经常参加同族长辈和诗坛名士溥心畬、溥雪斋等人主持的笔会，谈诗论词。此时他的诗词创作已崭露头角。以后在辅仁大学任教期间，也常在陈垣校长的鼓励下与师友唱和。后来溥心畬的恭邸萃锦园归了辅仁大学，园中建了司铎书院。书院中种有海棠，每当海棠花枝繁茂时，陈垣便命青年教师们赋诗。启功曾创作《社课咏落叶》、《司铎书院海棠二首》等诗词，已收入《启功韵语》，这些诗是他青年时期的代表作。

　　解放以后，启功在治学、授业、评画之余，常就生活中遇到的人物、事件、器物、风景等抒发情感，创作了许多生活气息浓厚、感情真切的诗句。1989年，他的第一本诗集《启功韵语》首先由北京师范大学出版社出版（图一〇五）。他在序言中说，"这本小册子，是我从十几岁学作仄仄平平仄的句子开始，直到今年，许多岁月中偶然留下的部分语言的记录"，"一些心声、友声的痕迹"。1994年《启功絮语》由北京师范大学出版社和香港虚白斋(出版社)分别出版。为避免排印中的错误，此书全部用手稿影印。1999年，北京师范大学出版社出版了启功的第三本诗集《启功赘语》，中华书局又将三本诗集收入《启功丛稿》的《诗词卷》。专家评论他的这些诗词"功力深厚，风格鲜明，完美地运用了古典诗词的固有形式，巧妙地运用了现代新词语、新典故以及俚俗、俗语，形成了他的诗词的独特风格，充分体现了新时代的特点，为古诗词如何继承与创新树立了良好的典范"。他的诗"各体兼备，风格多样，足见他正在探索诗体的革新，为中国诗的发展寻求出路"。

2. 书法家启功

启功的书法作品，无论条幅、册页、屏联，都表现出优美的韵律和深远的意境。内紧外放的结体，遒劲俊雅的笔画，布局严谨的章法，都达到了炉火纯青的高超水准（图一〇六、一〇七）。书法界

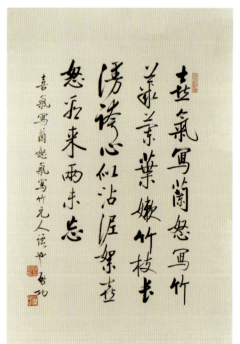

一〇六　启功手书自作诗

一〇七 启功手书条幅

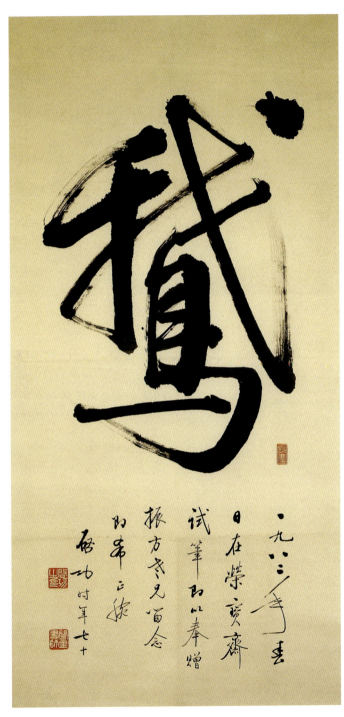

一〇八   启功为北京师范大学书法爱好者示范

这样评论他的书法作品："不仅是书法之书，更是学者之书，诗人之书，它渊雅而具古韵，饶有书卷气息；它隽永而兼洒脱，使观者觉得余味无穷。因为这是从学问中来，从诗境中来的结果。"人们常说"字如其人"，启功的书法，正如他的为人一样，端正，平实，平易近人，而闪耀着机智和风趣（图一〇八）。

启功对书法理论有独到的研究，他著的《论书绝句》（图一〇九），以诗的形式总结了自己几十年书法实践的系统理论。他认为，书法是我国民族文化的优良传统之一，既是文化交流的工具，具有实用价值，又是一门独放异彩的艺术，具有欣赏价值。几千年来，书法一直起着艺术语言的作用，深受广大人民的爱好而广泛传播。书法体现了人们的思想感情，在许多人眼中，它竟可以成为人格的标志。启功认为："对书法的研究和实践，主要可分为两个阶段，一是实际应用，可称初级阶段，二是艺术提高，可以算高级阶段。"对广大的人民群众来讲，首先应是普及，写好平常应用的字。一封信，要朋友能看得懂；一条板书要学生抄录时顺利无误；一篇稿子要排字工人看到后心明眼亮，排起字来效率提高；一个通知不但要文理通

一〇九　《论书绝句》书影

顺，首先要没有错字……至于创新，则不反对有各种流派，因为路是大家走的，但也不能说"创新"就一定都是好的，就一定能成功，这要看观众拥护不拥护。当前社会上还流行要小孩子苦练书法，家长更希望孩子从小就成"家"。经常有人带着孩子登门，要他指点窍门，启功则不以为然。他当面对家长说，小孩首先要学好功课，打好学习的基础。他曾不止一次讲过，书法不同于杂技，杂技要腰腿灵活，必须自幼锻炼。而书法则相反，小孩对有些字还不认识，怎么提到书法呢？今天小孩练毛笔字，主要是记住笔画、字形，除作为认字手段之外，也培养对民族传统艺术的爱好。年纪渐渐大了，理解力和观赏力强了，练字才更有见解、有辨别、有选择，写出自己的风格。

　　启功对书法的结字、用笔有独到见解。赵孟頫说："书法以用笔为上，而结字亦须用功。"启功通过几十年的实践得出的结论却不同，他认为："从书法艺术上讲，用笔与结字是辩证的关系。但从学习书法的深浅阶段讲，则应是以结字为上。"他经过多年的探索，发现练字的九宫格、米字格并不准确，因为字的重心聚处并不是在格的中心点，而是在距离中心不远的四角处。这种距离中心不远的四

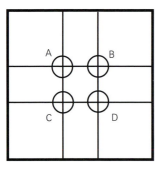

一一○　关于书法结字的图解

个聚处是 A、B、C、D。从 A 到上框或左框是 5，从 A 到下框或右框是 8，是 5∶8，即黄金分割法（图一一○）。其余可以类推。他还总结出各笔之间先紧后松，没有真正的横平竖直，字的整体外形也是先小后大、先窄后宽等一些练字的规律。

由于启功在书法理论和创作上的成就，2001 年曾获全国书法"兰亭终身成就奖"，2002 年获"造型表演艺术创作研究成就奖"（图一一一）。

一一一　启功获"兰亭终身成就奖"奖杯及自作诗一首

启功一生从教七十余年，始终没有正式接纳书法弟子，他说："我没有书法的学生，只有中文系的学生。"但是，许多爱好书法的青年人慕名求教，他都热情接待耐心指点，并多次书面、口头把他"学习书法的一些甘苦、经过向大家交代"。他说："现在回顾练习写字的过程中，颇有些曲折。记出几条来，既以向前辈方家请求印可，也以奉告不耻下问有同好的朋友们，或可省走一些弯路。"

这几条是：

一、曾向书家求教，问从执笔到选帖的各种问题，得到的答案，却互相不同，使我茫然无所适从。

二、所学只是在石头上用刀刻出的字迹，根本找不出下笔、收笔的具体情况。

三、后来得见些影印的唐宋以来墨迹，才算初步见到古代书家笔在纸上书写的真象。好比见着某人的相片，而不仅是见到他的黑纸剪影了。

四、学习古代书家的墨迹稍微觉得有些入门时，又听到不少好心的朋友规劝我说："你的字缺少金石气。"可惜那时我已六十多岁了，"时过而后学，则勤苦而难成"。再者，所谓"金石气"，实际就是刀刻的那些现象和趣味。虽然"恒言不称老"，但六十多岁，至少从脑到手，也僵化了许多，即使想再拿毛锥来追利刃，也已力不从心了。

五、练写字总是在冷一阵热一阵中过日子，怎么讲呢？临帖有些相似了，另写文词或帖上没有的字，就非常难看。慢慢地能自寻办法写出一张另外的文词，章法也算过得去了，但只能看整片，禁不起挑出任何一个字来看。

六、某段时间写了张字，觉得熟练些、美观些了，过时再看，便发现"丑态百出"，于是加以纠正，克服已发现的缺点。这样又出现两种情况：一是写得更坏了，真使我"欲焚笔砚"；一是觉得比前可算有些长进了，但旁人看时，又常有人说还是最前那段写得较好。

七、有一次临了两本帖，一是《集王书圣教序》，一是智永《千字文》墨迹本。有一位青年朋友向我要，我送给他时说："这只是纪念品，你要临学，我另送给你这两种原帖。"没想到他却说："这比原帖好。"我只认为他是专为夸奖我的字，谁知他却郑重地指给我说，哪些字，"帖上的不如你写的"。我这才明白，"下里巴人"为什么"和者"那么多。谁都明白，这是误会，但误会何在？有人说，"你翻成白话的古文，比原作易懂"，这非常恰当。在此，我的感想，还有一端，即是"夸奖"这一关，也是极严的考验！应正确对待，谨慎而过。离奇的夸奖，还容易清醒，只怕略近情理而又偏高的夸奖，是最难冷静的！

八、字不要拿给许多人看，一个人一个主意，你听谁的呢？首先要自己满意。

关于学书从什么体开始，启功也有独到见解。现在许多研究书法的同志都有一种爱好，即喜欢写行书。启功认为还是宜多写楷书。楷书有一定的点画部位，它们的距离比例都合规律，在这种特定位置上加快写、连笔写，即是行书。如果这种基本位置不尽合适，再加连笔快写，必不能精彩。他提出以下五点理由：

一、楷字有一定的规格，也就是符合"优选法"，每一字的重心并不在正中，而在偏左或偏上，它的右部或下部宽绰有余。

二、写楷书每笔与每笔之间，在写时心存连续的想法，虽然这二笔是断开的，中间没有牵丝，但意思要连带贯注。也就是像作行书似的去写楷书。

三、写行书要每笔经过楷书相应的"据点"，不是迈过据点斜插着走路，只不过是加快一些而已。也就是写行书似作楷书。这样楷书便不板，行书便不滑。

四、临楷书不仅要注意它的点画姿态，更要注意它的结构。结构对了，姿态自然出现。我曾把一个大些的字用铅笔画出每笔的中心一道，然后在这铅笔道上用墨笔写，有时比用蜡纸照着格写还自然，还相似。赵孟頫说，"书法以用笔为上，而结字亦须用功"。我认为他恰恰说倒了。字是图案，结构最重要。用笔好了，自然更能助其效果，但假如把古代碑帖的字每笔剪下，重新排列，试看要成个什么样子？临行书也不外此理。

五、多看多临，日久心手相望，帖字自然融化到自己手中。

这些论述，对在青少年中普及书法知识起到了促进作用（图一

一一二　启功主持书法教材编委会

一二）。

此外，启功还以音乐与草书作过形象的比喻，他说，音乐与书法道理当然不应两样。姑以音乐外行来妄论二者的关系：大约草书如演奏"快板"，无论快到什么程度，其中每一个音符并不因快而漏掉，所以"急管繁弦"和"雍容雅奏"实质上是没有差别的。人在短时间中听到丰富的音乐，譬如前人论画，所谓"咫尺有千里之势"的，必然是佳作。

当前在书法界有一股风气不好，有人提倡写丑书，以丑为美。启功深虑，此风不止，发展下去，将把中国书法引向歧途。

3. 画家启功

启功的绘画早在20世纪三四十年代即已很有名气，只是解放后由于教学任务繁重，多年来很少作画。

虽然早已罢笔不画，但是每当陈垣先生寿诞之日，启功总要亲自动笔，或书或画作为寿礼奉上。笔者曾有幸见过启功绘的几件珍品，其中有一件成扇，是为陈垣先生八十晋二寿辰而作。金色扇面，墨松挺拔，红日高照，用工整的小楷题诗一首："万点松煤写万松，

一一三　万松图泥金成扇（1961年作）

一一四　苍松新箨图（1986年作）

一枝一叶报春风，轮囷自富南山寿，喜值阳春日正东。"诗书画融为一体，表达了师生间的深厚感情（图一一三）。

　　改革开放以来，为了对外交流，他挤出课余时间，为国家领导人的出访以及为文化、统战部门的国际合作、文化交流创作过不少山水、松竹、兰菊、香荷以及书法条幅作为给国际朋友的礼品。在中南海、人民大会堂、政协礼堂、钓鱼台国宾馆等接待国宾的厅堂，也有他的书画佳作。他风趣地说："我这里是咱们的礼品制造公司。"1985年第一个教师节的前夕，启功用了一个暑假的时间作了一幅一丈二尺长的《竹石图》，奉献给教师节。图中巨石岿然，瀑布倾泻，新竹拔节，枝叶繁茂，充分体现了人民教师的高洁无私和奉献精神。这幅《竹石图》一直悬挂在北京师范大学主楼的会议室里。同年，应中央电视台的要求，启功又作《苍松新箨图》，向为培养新一代而辛勤劳动的教师、职工和未来将从事教育工作的青年们祝贺春节。图中红松苍劲挺拔，丛丛新笋拔地而起，象征着教育事业后继有人兴旺发达。他在画上题诗一首："从来造化本无私，喜见松苍竹茂时，抱雪凌阳嘉荫远，好培修箨长新枝。"（图一一四）这幅《苍松新箨图》在电视台播放之后，影响深远。北京师范大学曾收到许多外地教师的来信，表达他们愿终生为教育事业献身的心意。1990年夏，启功为感谢香港友人对他筹集励耘奖学助学基金的帮助，作了八尺整纸的巨幅春、夏、秋、冬的竹石图各一幅（图一一五～一一八）。这四幅珍品，实为无价之宝，现已赠送给北京贵宾楼饭店。

1997年，一个偶然机会，启功在嘉德拍卖会上见到了吴镜汀老师的一幅《江山胜览》图手卷（图一一九）。他喜出望外，回忆六十年前曾见吴师创作这一长卷，洪波浩淼，青山矗立，但未能拜观全貌，今日重现，当即出高价收下，并请香港翰墨轩主人许礼平先生制版影印出版。他说："能让先师的佳作广为流传为之不朽，也了我一桩回报恩师的心愿！"启功随吴先生学画，但他并不囿于先生的成路，既能领略吴先生的笔意，又有自己的创意，体现自己独特的风格。他擅长画山水、竹石等，20世纪三四十年代，也曾作画卖钱，以补助生活，有不少佳作流于社会，受到书画收藏家的青睐。有专家评论他的画最大特色是以画内之境求画外之情，画境新奇，境界开阔，不矫揉造作，取法自然，耐人寻味。近几年来，每年的书画拍卖活动中，都能见到有启功作于20世纪三四十年代的绘画作品，被书画爱好者出高价收藏。可见他的画很早就出了名。只是自50年代

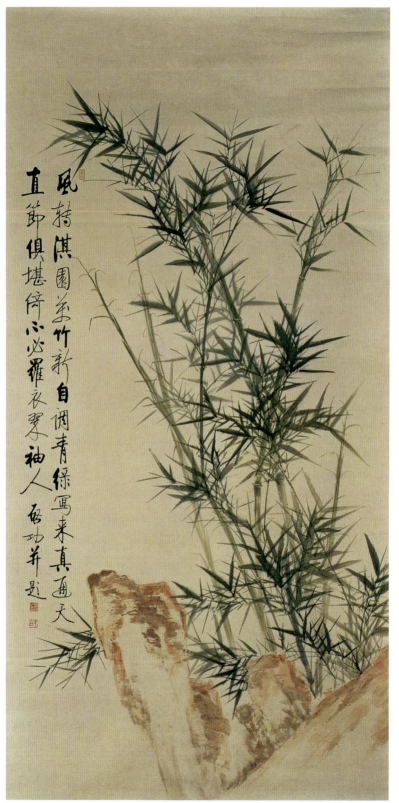

風枝淇園菜竹新自偶青綠寫來真面天

直節俱堪倚不必羅衣翠袖人 石功葬題

雨搅狂风撼坤末離披

丛竹壁成堆粗枝大叶

粘连实拉难推浅址

不開　啓功弄墨

斗室南窗竹几竿华睦矓
晴日不愁寒风标只合研
铢写禁得旁人次眼
一九九二年玄启功

一一九　吴镜汀绘《江山胜览》图（局部）

以后，他的主要精力放在教学上，日不暇给，绘画不如写字省时，只得忍痛罢手了。所以除了他的老相识，很少有人知道他是画家。

4.文物鉴定家启功

启功是我国当代著名的文物鉴赏家和鉴定家，尤其对古代的书画、碑帖见识卓异，造诣精深。启功鉴定书画，不只是作一般真伪的评判。他精心研究过书法史、绘画史，对古文字学、古典文学、音韵学、训诂学、历史学、文献学、目录学、版本学、考据学、哲学、宗教学也有深厚的素养，熟悉古代典章制度、礼仪民俗，本人又有书法绘画的实践经验，所以遇到公案，善于综合利用各方面的优越条件，从学术研究和艺术鉴赏的角度去分析，从而作出正确的判断，这是一般鉴定家所不及的。

文献考据是启功的一大专长。作为考据来讲，要根据确切的事实来进行推理验证。例如碑帖、书法和大多数绘画可能通过文字等显示出当时的文化痕迹，这些文化痕迹对文字的影响有可能也含在其他的已知的文献信息里面，所以收集的文献信息越全面，判断就越准确。

如果用现代科技语言形象地形容启功，他的大脑就像一个巨大的文献信息库，储存着大量文献信息，遇到重大公案，他可以启动程序，尽快找到所需信息资料进行处理。在这方面，他至少有两条优点是同辈所不及的。一是知识面广，对中国的传统文化有深入广博的研究，可利用的文献信息多，也就是科技界所说的"海量信息"；二是十分熟悉这些文献信息，知道驾驭它们的方法，也就是处理程序优化，操作速度快。这些工夫不是一朝一夕可以做到的，而是经过几十年的勤奋积累、磨炼而成的。他在文物鉴定界，能透过现象深入本质，看到别人熟视无睹的问题，发表别人不能发表的卓见，独树一帜，居当代鉴定大师的前列。所以文物界称他是举足轻重不可多得的国宝级人才。

早在20世纪30年代，启功在辅仁大学美术系教授绘画课时，即从事中国绘画史和中国书法史的研究，发表过关于文物、书画方面的论文。今见他最早的学术论文《山水画南北宗说考》发表在1938年辅仁大学出版的学术刊物《辅仁学志》第七卷上（图一二〇）。以后，经过几十年的研究、修改，易名为《山水画南北宗说辨》，收入《启功丛稿》。这也说明启功研究学术锲而不舍、精益求精的精神。在20世纪40年代，他已是很有名气的书画家，经沈兼士先生推荐，被故宫博物院聘为专门委员，负责鉴定故宫收购的古书画，同时在文献馆审阅古史文献。

解放以后，郑振铎先生主持筹建了国家文物局并任第一任局长，王冶秋先生、王书庄先生任副局长，从南方请来张珩先生任文物处的副处长，负责文物鉴定工作。当时，书画商手中的古代字画已不能随便向国外出口，这些字画经常集中到文物局来鉴定，工作比较繁重。文物局从上海请来谢稚柳先生和徐邦达先生，从杭州请来朱家济先生组成专家小组，在北京也邀请了启功参加专家组。凡有清代字画时，郑振铎就说："一定要找启功来！"张珩先生当时也住在

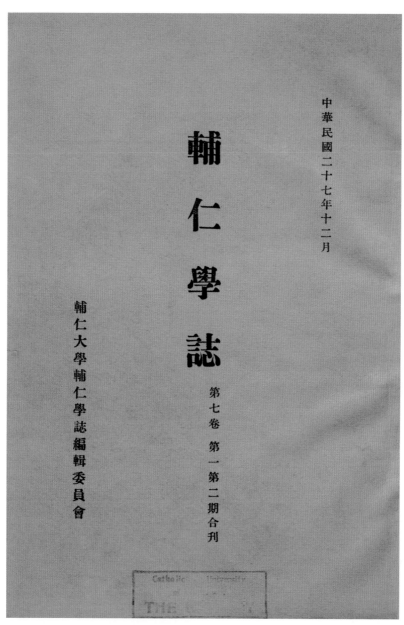

中華民國二十七年十二月

輔仁學誌

第七卷 第一第二期合刊

輔仁大學輔仁學誌編輯委員會

一二〇 《辅仁学志》书影

东城区黑芝麻胡同，距启功家不足 200 米。二人经常交往，交流鉴定心得。张先生常对人说："启功眼力就是厉害。"

1954 年，国家文物局举办文物干部培训班，启功等一批专家被邀请给培训班的学员讲课，为培养文物人才做了许多工作。今天许多文物界的骨干都曾是培训班的学员。

几十年来，经过启功手眼的艺术精品成千成万。由于他对历代作品的特征和作者风格了然于心，加上他有丰富的文物知识和文史修养，又熟谙典故，劣品和赝品总逃不过他的目光。

启功对旧题唐张旭草书古诗帖真实年代的考定，就是令同辈专家折服的一例。这是一件古代狂草字卷，写在五色纸上，宋徽宗曾将它收藏于皇宫，当时编订的《宣和书谱》视其为南朝著名诗人谢灵运的墨迹。明代文人董其昌则认为它是唐代著名书法家张旭的狂草真迹。启功发现，现存的四幅墨迹的第二幅中写有南北朝诗人庾信的诗句，其中有"北阙临丹水，南宫生绛云"。这"丹"、"绛"二字引起了启功的注意。他说："按古代排列五行方位和颜色，是东方甲乙木，青色；南方丙丁火，赤色；西方庚辛金，白色；北方壬癸水，黑色；中央戊己土，黄色。"庾信的原诗是："北阙临玄水，南宫生绛云。"玄即是黑色，绛即是红色，北方黑水南方红云，一一相对。而作品中把"玄"改为"丹"。丹是红色，绛也是红色，便成了红对红。这有悖于古诗对仗的常规，分明是刻意的更改。这种不符合常理的更改往往与文字避讳有关。他查出文献史籍中的记载，宋真宗在大中祥符五年(1012 年)十月戊午下诏，自称梦见了他的始祖，名叫"玄朗"，诏令天下遇到"玄朗"二字必须避讳，凡"玄"改为"元"或"真"，"朗"改为"明"。启功以此为根据推断这卷古诗的书写时间，下限不会晚于该帖入藏皇宫和《宣和书谱》编订的时间，而上限不会早于大中祥符五年十月戊午宋真宗下诏的时间，以确凿的证据说明这是一件宋人的书法（图一二一）。

许多古代书画精品，在历史上有各种真伪混杂的评说，形成难以解决的历史公案。启功科学地运用他掌握的历史资料和深厚的文化积淀，从书法史、绘画史和作者所处时代的社会环境、风俗人情

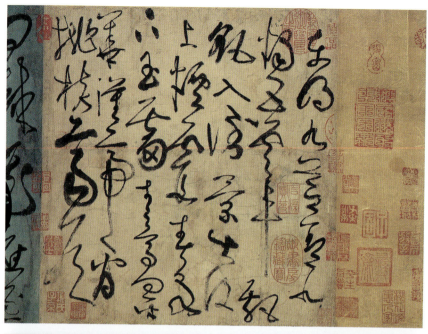

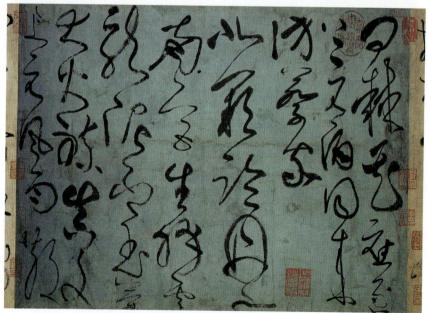

一二一　旧题唐张旭草书古诗帖（局部）

以及作者本人的艺术风格、创作习惯等方面全面地分析，许多历史公案在他面前得以解决。他写了许多精辟的论文，除前文提及最早发表的《山水画南北宗说考》外，以后又陆续发表了《〈兰亭帖〉考》、《孙过庭〈书谱〉考》、《庆家考——谈绘画史上的一个问题》、《〈平复帖〉说并释文》等，都对原作给出了令人折服的结论。对于《〈平复帖〉说并释文》（图一二二），著名鉴赏家傅熹年就曾多次给予极高的评价。他说："此文是启功先生研究传世最古法书西晋陆机书《平复帖》的力作。此帖文字前人都没有能通释，先生早在四十年代就据印本作了初步释文，以后又据真迹订正，形成定稿。因为此帖首尾完整，所释还必须文义可通，并可与史传相合。先生详考史传、本集、总集和魏晋典籍，除完整之字外，连残损的五个字中也有三个字据文义及史传推释出，并对帖中提到的这三个人与陆机的交游加以考证，从帖文内容上也证明此帖确出于陆机之手。这是只有靠多方面的学识和高度的鉴赏能力相结合才能做到的。"

我国是世界上文物最丰富的国家之一，目前据不完全统计，全国馆藏文物多达七十多万件。改革开放以后，国家为了更好地保护、利用这些瑰宝，决定进行全面鉴定和甄别。

1983 年，国家文物局聘请启功、谢稚柳、徐邦达、刘九庵、傅熹年、杨仁恺、谢辰生七位专家组成中国古代书画鉴定组，负责甄别北京及全国各大城市博物馆收藏的古代书画作品的真伪。启功为文物鉴定工作做出了重要贡献。

1986 年，启功被文化部聘为国家文物鉴定委员会的主任委员。国家文物鉴定委员会是我国对可移动文物进行学术鉴定的国家级权威机构，由来自北京、上海、天津、江苏、辽宁、山东、广东等地的五十四位专家担任委员，分设书画碑帖、陶瓷、铜器、玉器、货币、古籍、杂项七个鉴定小组。启功担任主任委员，足见他在文物鉴定界的崇高威望（图一二三~一二五）。

经过几年的工作，启功看了大量的古代书画藏品，发现许多问题。在登记目录、选印精品的工作之外，他个人还总结了一些"鉴定"中的甘苦，写了《书画鉴定三议》、《鉴定书画二三例》，是很深

一二二　启功临平复帖并释文

一二三　1986 年 3 月 4 日，国家文物鉴定委员会成立大会后与会成
　　　　员合影。前排自左向右：谢稚柳、谷牧、顾廷龙、常任侠、
　　　　启功、朱活，后排自左向右：史树青、刘巨成、王世襄、谢
　　　　辰生、庄敏、刘东瑞。

刻的经验教训之谈。启功认为，当今一切宝贵文物，都是人民的公
共财富，近代摄影、印刷技术的发展，为鉴定工作提供了更科学的
方法，人的经验与科学的工具相结合，可以相辅相成，而鉴定工作
者深入掌握辩证法，虚心尊重科学，泯除成见，这样会比"肉眼一
观"、"人脑一想"使结论更确切与科学。而鉴定也不只是判别"真
伪"，因为从古代流传下来的书画作品有许多情况不是"真"或"伪"
两端就可以概括的。特别是在鉴定工作中，有许多人情世故，除限
于水平外，还因社会上种种阻力，鉴定者往往屈心作出一些不公正
的结论。他总结出八条，即一皇威、二挟贵、三挟长、四护短、五
尊贤、六远害、七忘形、八容众，前七项是造成结论不公正的原因，
后一种是工作者应自我警惕保持的态度（图一二六～一二九）。

　　经常有人拿收藏的古代字画请先生鉴定，他说，"我只对国家文
物鉴定委员会负责"，对个人的藏品概不表态，因为古代流传下来的

一二四　启功主持国家文物鉴定委员会会议

一二五　国家文物局举办全国书画鉴定高级研讨班时启功等与学员
　　　　合影。二排左三起：傅熹年、启功、刘九庵、杨新。

一二六 启功和陈垣一起鉴赏书法

一二七 启功在天津鉴赏碑帖

一二八　启功在桂林博物馆鉴赏书画

一二九　启功在日本友人今井凌雪家中鉴赏董其昌手卷

书画作品有许多情况不是"真"或"伪"两端就可概括的。但是如果有人违反国家政策、危害国家利益，他也绝不沉默、放纵。近来发现有人冒启功的名进行古书画鉴定，并在赝品上以启功的名义题字落款，混淆是非。启功曾郑重地对记者说："我对这种行为必须讲话，这与造我的假字不同，这是以我的名义欺诈别人，对这种犯罪行为，我要保留追究刑事责任的权利。"

为适应我国社会主义精神文明建设的需要，继承和宣传我国的文化遗产，进行爱国主义教育，促进美术创作的繁荣和艺术科学研究的发展，进行国际文化交流，1985年中共中央宣传部决定编辑出版《中国美术分类全集》，以便较为全面系统地向我国和世界人民介绍我国古代和近现代优秀文化艺术的发展概貌。同年7月，中宣部出版局、文化部出版局和文物局召开了《全集》的编辑工作会议（图一三〇）。启功应邀出席了会议，并被聘请担任《全集》的主编。编辑出版这样一套巨著留传后代、面向世界，是一件很有意义的事，启功欣然受命，愿与大家一起把这件事办好。他接到《全集》（古代部分）编目文件后，认真审阅，并就其中"中国历代金石铭文大全"一项亲自给中宣部出版局局长许力以写了书面建议（图一三一）。他说："分类条目中第七页，有'金石铭文'一项，未知具体包括内容，将来详目中自可分晓。因仅从此条目一行看，设想金文部分或拟独立出来，而石刻铭文，则易与碑帖部分相纠缠，因碑亦称'碑铭'，墓志亦称'墓志铭'。猜想立条之意，或以钟鼎等铭文太多，可以独立成项。如此是，似可径称'中国历代、古代金文大全'。"

最近上海博物馆从海外购回国宝《淳化阁帖》，也是经过启功和其他专家共同努力得以实现的。启功知道美国友人安思远收藏有一套《淳化阁帖》，希望能设法让这件国宝回归祖国。1995年，国家文物局外事处处长王立梅出差去美国，行前启功特别嘱咐她，到了美国一定要去拜访安思远，设法说服安思远让《淳化阁帖》到北京展览。启功对王立梅说："不见《淳化阁帖》，我死不瞑目。"1996年安思远带着《淳化阁帖》来到故宫，经过启功、刘九庵等专家仔细鉴定，从印章、题跋的流传有序，确定这部《淳化阁帖》就是北宋的

一三〇　《中国美术分类全集》编辑工作会议后合影

一三一　关于编辑《中国美术分类全集》启功给许力以的信

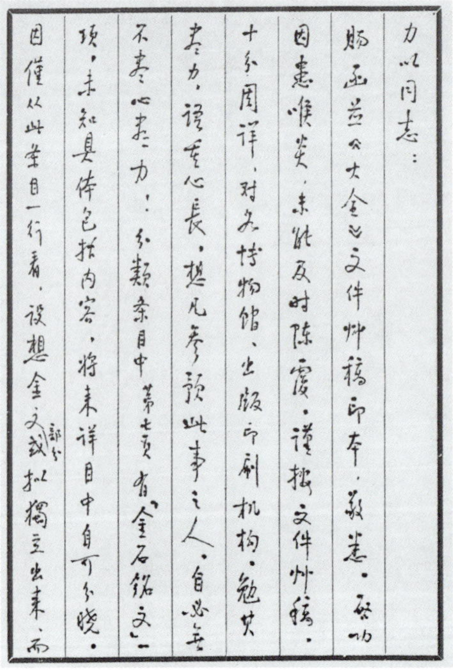

力以同志：

赐函并《大全》文件草稿印本，敬悉。启功因患喉炎，未能及时陈覆。谨按文件草稿，十分周详，对各博物馆、出版印刷机构，勉其专力，请其专长，想凡参预此事之人，自必无不专心专力！分类条目中第七项有"金石铭文"一项，未知具体包括内容，将来详目中自可分晓。因仅从此条目一行看，设想金文部分或拟独立出来，而

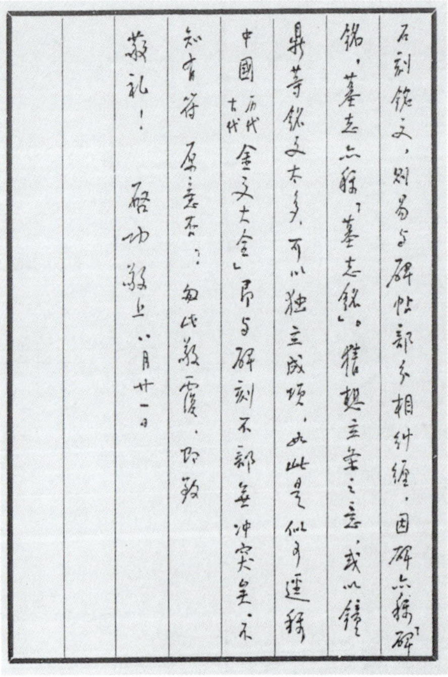

石刻铭文，则易与碑帖部分相纠缠，因碑亦称"碑铭"，墓志亦称"墓志铭"。猜想立条之意，或以钟鼎等铭文太多，可以独立成项，如此是似可迳称"中国历代（古代）金文大全"，即与碑刻不部无冲突矣。不知有符原意否？匆此敬覆，即致

敬礼！

启功敬上 八月廿一日

一三二　启功和王立梅在北京贵宾楼饭店竹园厅宴请美国收藏家安思远，商谈《淳化阁帖》回归祖国之事。

祖帖。以后每次王立梅去美国都与安先生相见。在长达八年的友好交往后，安思远终于同意中国以450万美元买回这件国宝。王立梅回到北京第一个电话先打到启功先生家，告诉他国宝回家了。时隔八年，她总算完成了启功先生的嘱托（图一三二）。

（三）为祖国统一和中外友好奔走

进入20世纪80年代以后，启功的社会活动日益繁多，他以卓越不凡的才能、崇高的品德和对国家的贡献，赢得了社会各方面的敬重。

他除在学校担任教学任务以外，在社会上的兼职越来越多：

1980年，启功当选为"九三"学社中央委员。

1981年，中国书法家协会成立，启功被推选为副主席。

1982年启功任北京市政协委员、北京市民族事务委员会委员。

1984年启功被选为中国书法家协会主席，任中国人民对外文化协会顾问。

一三三　李瑞环会见全国政协书画室部分书画家

一三四　2003年启功参加全国政协第十届全体会议

一三五 庆祝中央文史馆成立五十周年，朱镕基总理接见
中央文史馆馆员。

1986年启功被聘为国家文物鉴定委员会主任委员、故宫博物院顾问。

1986年起，启功历任全国政协第五、六、七、八、九届常委，并兼任书画室主任（图一三三）。

2003年启功在全国政协第十届全体会议上再次当选为全国政协常委（图一三四）。

1992年启功被聘为中央文史研究馆副馆长，1999年被聘为中央文史研究馆馆长（图一三五、一三六）。

他以饱满的热情参政议政，为祖国统一和中外友好奔走往来，为在世界上传播中国文化做出了突出贡献。

1. 情系两岸 期盼统一

早在20世纪80年代初，为了沟通海峡两岸的关系，早日实现祖国的统一大业，中共中央统战部、全国政协经常举行一些重要活动，

一三六　国务院副总理钱其琛将聘书授予启功

一三七　启功手书墨迹

如茶话会、书画联谊会等，邀请启功出席。他每次都必到会，吟诗作画，留下墨宝。

1980年中秋节，在中共中央统战部举行的与台湾同胞共度中秋的赏月晚会上，他当场吟诗一首，并立即挥毫写成条幅（图一三七），赠给台湾友人：

骨肉分携岁屡经，

团圞佳节倍关情。

今秋大地新更化，

天际冰轮分外明。

同年春节联欢会上，也曾留有他怀念台湾同胞的十六字令一首：

花。骨肉同根各一涯。

游子愿，何日早还家。

进入20世纪90年代以后，两岸的文化交流日益增多，凡有台湾书画界来内地举办书法绘画展，启功都应邀出席，参观展览，会见台湾书界朋友，热情接待，亲切交流。一次，日本二玄社复制了台湾故宫博物院收藏的古代书画作品，在北京故宫博物院展出。启功参观展览后，激动地发表感想说："好端端的一块陆地，因为有一条洼陷处，无情的海水，乘低流过，使得这海峡两岸家人父子夫妇兄弟互不相聚，已若干年了。我们全家祖先的光辉文化，最集中最突出的标志，莫过于历代文物。现在二玄社把海峡彼岸的部分古书画精品复制出来，饱了此岸人的眼福，大家看了这次展览之后，彼此交谈，表现的心情，不约而同地想到如何把我们此岸的精品，也给彼岸的同胞、同好们看看。我们都是从童年过来的，回忆童时得到一件好玩具，总想给小朋友看，互相比较、夸耀，中心目的还是共赏。小孩如此，我们今天早已成了'大孩'、'老孩'，可以说我们童心还在，设想有一天，我们大大小小的天真的孩童们重新相见，其中的酸甜苦辣，谁能不抱头倾诉呢？互有的玩具再拿出来比较夸耀一番岂不是弥天之乐吗？我相信这机会实现时，大家的眼睛已看不清'玩具'，而是被眼泪迷住了，这一天一定会实现的！"

2. 喜庆"合浦珠还"

1982年，北京师范大学成为内地首批对外开放的高等院校之一。启功应香港中文大学的邀请，到该校讲学。这是他第一次去香港，受到了香港文化界朋友们的热情接待。他曾作有《应香港中文大学之邀南行访问四首》：

森梢万笏起岑楼。水碧山青四望收。

安得河中马遥父，江天一角写南陬。

杖朝腰脚复南行。片刻云霄万里程。

略似牛羊浅草上，春风区脱步纵横。

济济簪裾出上庠。海隅何止破天荒。

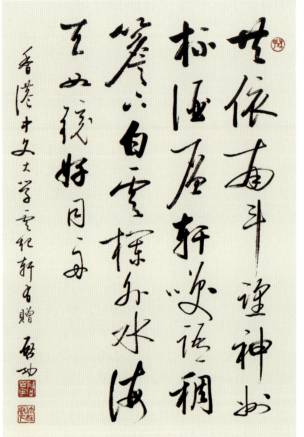

一三八　启功为香港中文大学新亚画院云起轩留题

　　同文再见嬴秦后，万国图书聚一堂。

　　巍峨学府署中文。涵夏攸同薄海尘。
　　接席赓扬杯酒乐，更从弦诵听韶钧。
　　他还为香港中文大学新亚画院云起轩留题一首（图一三八）：
　　共依南斗望神州。杯酒层轩笑语稠。
　　檐下白云栏外水，海天如镜好同舟。

　　在香港中文大学讲学之后，启功又被一些老朋友挽留下来，在香港参观游览一周。这时因原邀请方接待日期已到期，他便搬到新华社的宿舍去住，婉言谢绝了对方的继续招待。讲学所得的报酬，也

一三九　启功在香港。左起：刘均量、王静芝、许礼平、启功。

全部买了办公用品赠给中文系。改革开放初期，北师大校内各种信息还比较闭塞。他初次出访回来，有许多心得、感想，他及时向青年人介绍了他的见闻和新的学术信息，特别结合内地的情况，对教学、科研以及研究生培养工作提出自己的意见和建议。

后来启功又多次去香港讲学、举办书画展览或参加重要的文物鉴定（图一三九）。

1997年，他出席了香港荣宝斋建店一百周年、商务印书馆建馆一百周年和迎接香港回归活动，并欣然为迎香港回归作十六字令二首，表达了一位老学者对香港回归祖国，消除国耻的拳拳爱国心：

珠。合浦还来世所无。一百载，华夏更重书。

珠。光焕南天海一隅。惊回首，国耻一朝除。

他与几位老艺术家联袂，又为香港回归的大型画册题词作画，其辞为（图一四〇）：

一四〇　启功为庆祝香港回归题词并赋诗

合浦珠还

庆祝香港回归祖国

一九九七年夏日　启功书于北京

金冠玉貌水中央　翡翠衣裳
列戟行祠庙百年　帰来得如今仙
子返高堂　髫年读史最惊人
跼我封疆一百春　望外屡躬八十
五居然重见版图新

公元一九九七年香港回归志庆　启功

一四一　启功在澳门

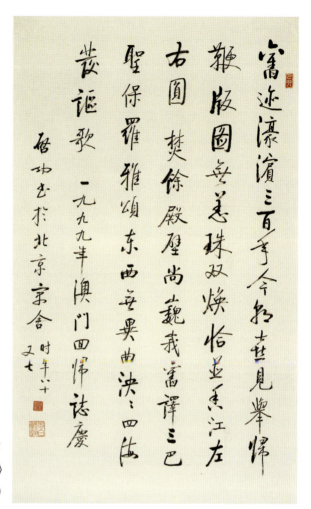

一四二　启功手书
《澳门回
归志庆》
（1999年）

金冠玉貌水中央。翡翠衣裳列几行。

祠庙百年归未得，如今仙子返高堂。

鬈年读史最惊人。踣我封疆一百春。

望外屏躯八十五，居然重见版图新。

　　1999年澳门回归祖国之际，启功正在澳门，也曾即兴作诗庆贺澳门回归祖国（图一四一、一四二）：

　　旧迹濠滨三百年。今朝喜见举归鞭。

版图无恙珠双焕，恰并香江左右圆。

焚余殿壁尚巍峨。旧译三巴圣保罗。
雅颂东西无异曲，泱泱四海发讴歌。

3．为中日友好奔走

1983年3月，启功应日本中国文化交流协会的邀请，在东京举办"启功书作展"。这是他第一次出访日本。他的书画作品，受到了日本书画爱好者的欢迎和好评。他也趁此次东京之行，参观了东京博物馆、日本二玄社（出版社）和一些古籍书店，并购买了一些古籍和碑帖。在东京博物馆他看到日本收藏的许多中国古代书画珍品，对祖国宝物流失海外很为惋惜。

也是在1983年，中日友好协会在北京接待了以种谷扇舟为首的日本书法代表团，结识了一些日本书法界的友人。启功亲自陪同日本友人到山东曲阜参观访问。自此以后，开始了中日书法界频繁的友好交流。启功时任中国书法家协会主席，曾多次应邀到日本讲学、访问或举办书画展览，先后参观过京都、大阪等日本著名城市的博物馆。

启功每次到日本后，首先以一个中国公民的身份，去拜会我国

一四三　启功在中国驻日本大使馆会见杨振亚大使

的驻日大使。他在外国人面前落落大方，不卑不亢。我国前驻日大
使杨振亚等曾在使馆热情接待启功（图一四三），对老先生的高风亮
节非常赞赏。

在多次访日活动中，启功结识了不少热心中日友好事业的日本
朋友，他们为促进中日友好做了不少有益的工作，有几件事给笔者
留下了深刻印象。

1989 年 3 月，为纪念日本著名书法家上条信山先生从事书法艺
术六十周年，日本书法界举行隆重纪念会，并举办上条信山书法作
品展。启功是与上条信山先生交谊二十年的老朋友，应日方邀请，专
程赴日出席纪念会，并参观展览。启功在会上致贺词说："我是专程
又专诚来参加这个盛会的。"他在发言中介绍了上条信山与中国书法
的历史渊源，颂扬了上条信山、宫岛永士和中国的张廉卿先生中日
三代师生真挚的感情和动人事迹。

上条信山先生是日本近代诗文书法大家宫岛永士的入室弟子，
而宫岛永士先生又在中国得到张廉卿先生的亲授。启功介绍说："张
廉卿本是写大卷子白摺子应科举考试的，后来受到古代碑刻的启示，
用笔内圆外方，创立了崭新的风格，而宫岛永士又发展了张先生的
章法，巨大的条幅几句诗文，即可用方笔挥洒而出。到了上条信山
先生，好用大笔在整幅宣纸上写两个大字，气魄雄伟，笔力沉厚，而
总归灵活飞动。"启功称赞道："他们三代师生在中日两国文坛书苑
留下了可歌可颂的佳话。永士从张先生那里不仅学到了文学书艺，
还受到了中华传统道德的熏陶；而信山从永士那里得到的不仅是文
学书艺，还深深懂得了尊师重道的高尚情谊，为了纪念两位恩师，上
条信山在中国保定莲池书院立了丰碑，记录了中日书缘的这段佳话，
这丰碑也深深地教导着两国的后学之士。"启功还为纪念碑题写了碑
额"谊深学海"（图一四四）。

1992 年启功出访日本，参观日本著名的出版公司二玄社时，日
本友人高岛义彦携来一部因被水淹渍而粘连在一起成为砖块状的字
帖，希望启功介绍中国的装裱专家设法修复。这本帖是唐代李邕撰
写的名碑麓山寺碑的早年拓本，原为南丰赵声伯先生家藏，比其他

一四四　张裕钊、宫岛大八师生纪念碑

藏本剥蚀少，存字多，且无刻误之笔。后来此帖辗转流入日本，藏于日本收藏家三井氏的听水阁，因被水淹而遭损。见到这一珍贵字帖遭损，启功立即想到，若要想恢复此帖原貌，只有找琉璃厂的著名装裱大师张明善先生。张的父亲是著名的鉴赏家和版本学家张燕生，著有《善本碑帖经眼录》，此书是当今研究金石碑帖的学者必读之书。张明善先生继承家学，善于鉴别碑帖，并掌握了精湛的装裱技术。启功称赞他"丰碑巨碣，耸构高架，攀登而拓之，字口分明，墨色匀称。每叹为凌空巨掌，摩天割云"。启功回到北京之后，冒着酷暑亲自陪同高岛义彦到张明善先生府上拜访，讲明请张先生修复麓山寺碑帖的来意（图一四五）。张先生当时已八十岁高龄，对这块珍贵古拓的遭遇很是惋惜，欣然同意帮助

一四五　启功陪同日本友人高岛义彦在装裱大师张明善家中共同研究
　　　　修复麓山寺碑帖。左起：高岛义彦、张明善、启功、日语翻译。

一四六　麓山寺碑帖书影
　　　　及启功跋文

麓山寺碑为唐代李邕泰和撰书煊赫有名之碑，千载流传颇有剥蚀，世传富拓每论为宋为明其碑文之束残泐较多存馀一字，价逾球璧，其为世重盖可知矣。光绪三十一年，南皮赵声伯先生骏偶获富本以校诸家藏本存字独多且每刻误之笔，因延装池名手装家亲自鉴正错简焕然神明，首可读乃付有正书局影印流通，与世共赏，鉴家莫不诧为奇宝其後持入东瀛，归于三井氏听冰阁秘笈前数手东瀛大为珍品受藏宝之地下仓库竟遭湮渍，而止清理多件珍品损或有粘连坠若博塊者，此册其一也。高岛義彦先生携来见示，因为介绍张明善先生精心揭褾领还旧观，纵每一纸一画之失见者莫不欢诧明善先生为麓生生令嗣，藝苑有善本碑帖经眼錄記其平生所见南北乃至海外流传石墨珍本为当今洽金石目録者所必读。明善先生克传家学，鉴别之外，传拓装池之术，无不精能。余尝见李碑臣碣瑑榻高架墨登而拓之字分明，蓋句稗，每欲为湮空巨字亭天割宽，就知薄纸相粘，壁头聩葉之摩阗不膏庞丁解牛刀入有间，是呂寺也谓其学其筑与宗拓名碑无所轩轾，孟云不可，三井氏嗣守主人见此专装之妙，竟使古拓重生不贗。義彦先生幸荷禹域之行，即以举贐此一册也。展转辗合奇缘有如此者溯承義彦先生之属诸其始末于古，時公元一九九五年歲次乙亥暮春之初，啓功时於藝都寓舍幷第八十四歲矣。

額以此功德

莊嚴佛淨土

上報四重恩

下濟三途苦

若有見聞者

悉發菩提心

盡此一報身

同生極樂國

啟功敬書

一四七　　启功为牛头明王瑞像在日本八王寺举行的开光法会题词

修复。张先生接手后，经过两个春秋，使那薄纸相粘、坚如砖块的
册页又神奇地页页辟开，经过重新装裱，使古拓重生，真可谓"妙
手回春"。高岛义彦专程由东京再次来到北京，请启功先生写了跋文
（图一四六），二玄社又按修复后的原件制版印刷发行，供中日两国
的书法研究者、爱好者研究、欣赏、临摹。这件珍贵古帖的辗转奇
缘，值得在中日文化交流史上颂扬一笔。

　　1993 年，在中日两国邦交正常化二十周年的喜庆日子里，鉴真
大师的瑞像回访中土之后，日本天台宗八王寺（又称竹寺）的住持
大野亮雄和大野宜白大和尚又亲自从中国的四川请到了牛头明王瑞
像，于 1993 年 10 月在八王寺举行盛大的开光法会。赵朴初和启功都
为瑞像题词（图一四七）。启功应邀赴日本出席开光大典。他在开光
大典上说："我以灌顶菩萨戒弟子的身份，专程从北京来出席开光典
礼，随喜参拜。"他还说："中国和日本是一衣带水的近邻，两个民
族共有极深的、久远的文化交流历史，从中国汉朝以来，相沿两千
多年，其间更重要的纽带应算佛教。天台宗的严澄大师、密宗的空
海大师在中日文化交流中都有极其重大的功劳，今年牛头明王的开
光，是中日文化交流的延续，我谨以至诚回向佛慈，愿以此功德，庄

一四八 《论书绝句一百
首》日译本书影

严佛净土，上报四重恩，下济三途苦。"

　　启功的《论书绝句一百首》在读者中很受欢迎，日本友人高岛
义彦于1993年提议翻译成日文，由东京二玄社出版，并热情地推荐
日本学者大野修作担任翻译。当时大野修作是北京师范大学的访问
学者，到启功家拜访，得到了启功的应允。大野回到日本后，翻译
工作进展很快，不到半年便译竣。趁1994年3月来北京出席书法研
讨会之机，大野带来他翻译的样稿，再次与启功见面。大野修作对
诗句分条作了注释，对词汇的注释认真仔细，没有遗漏。启功看了
样稿与大野"晤谈甚久"，对大野修作说："足见修作先生费神之处，
至可感谢。"但是样稿对每首诗后面所附的解说短文没有译出。为了
大野修作翻译更加方便，启功把他口讲原诗及短文的录音磁带交给
大野带回作参考。这套录音磁带是启功把每首诗和后面所附短文合
在一起讲述的，可帮助大野更准确地翻译。1997年6月，《论书绝句
一百首》得以顺利与日本读者见面（图一四八）。

　　1998年，应日本日中友好会馆的邀请，启功赴日本访问，参
加日中友好会馆建馆十周年的庆典，并举办"启功书法求教展"

一四九　启功在日本参加日中友好会馆举办的
　　　　"启功书法求教展"开幕式

一五〇　启功在日本三井文库鉴赏宋拓本

（图一四九）。在日期间，启功访问了三井文库听水阁，鉴赏了三井先生收藏的中国历代法书、拓本（图一五〇）。

4. 传播中国文化的使者

1994年，为庆祝中韩建交两周年，应韩国东方画廊的邀请，启功赴韩国进行书画交流，并与韩国书法家金膺显举办书法联展，先后在北京和汉城展出（图一五一）。1995年，启功应韩国总统金泳三的邀请，参加中国政府代表团赴韩国访问，为促进中韩友谊，创作了书画作品多幅，赠送给韩国友人（图一五二）。

新加坡是华裔最多的国家，他们热爱中华传统文化，曾创立新加坡书学协会，邀请启功多次访问新加坡举办"启功书法展"（图一五三）。启功还为新加坡书学协会题写了会标。1997年，中央文史馆组织书画代表团，由启功任团长，在新加坡举办中央文史馆馆员书画作品展。

1996年启功赴美国、法国、德国访问，参观了三国国家博物馆收藏的中国书画珍品。

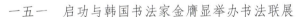

一五一　启功与韩国书法家金膺显举办书法联展

一五二　启功参加中国政府代表团，应韩国总统金泳三邀请访问韩国。

一五三　启功在新加坡举办书画展

一五四　启功在美国纽约大都会博物馆鉴赏该馆收藏的
中国古代书画

1999年10月，启功又赴美国纽约曼哈顿大都会博物馆，出席"中国艺术精华研讨会"，发表了论文《画中龙》，并对该馆收藏的我国五代时期著名画家董源的名作《溪岸图》进行鉴定（图一五四）。

（四）仁者寿

2002年7月26日，正值启功先生九十寿辰，全国政协主席李瑞环在钓鱼台国宾馆设宴为他祝寿。启功在文博界、书画界的一些老朋友也前来和他欢聚一堂，共享寿者之乐（图一五五～一五七）。

文物出版社和北京师范大学出版社为祝贺启功九十华诞，出版了《启功书画集》，并在人民大会堂举行出版座谈会（图一五八、一五九）。乔石、李瑞环、王兆国、吴阶平出席了座谈会，黄苗子、傅熹年、刘炳森、国家文物局局长张文彬、北京师范大学校长钟秉林作了发言，全面评价了启功先生在教育、学术、书画、文物鉴定各

一五五　李瑞环、黄苗子向启功祝酒

一五六　晚辈向启功祝贺生日快乐

一五七 老友们欢聚一堂共享寿者之乐

一五八 乔石、李瑞环、王兆国、吴阶平出席《启功书画集》出版座谈会

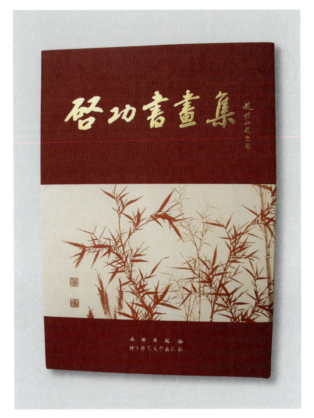

一五九　《启功书画集》书影

方面的成就。

　　2002年是北京师范大学百年华诞，又是启功先生从教七十周年，北京师范大学举行了"启功先生从教七十周年学术座谈会"（图一六○），并与全国政协书画室、中央文史馆、国家文物局、"九三"学社中央联合举办了"庆祝北京师范大学百年华诞、启功先生从教七十周年启功书画展"，展览取得了圆满成功（图一六一）。

　　启功先生九秩初度，他之所以高寿，是因为在他的身上集中体现了人世间正直、善良、宽厚、博爱的美德（图一六二～一六五）。笔者曾冒昧地问过他："您一生经历了那么多的坎坷，为什么还这样开朗？您是怎样看待人生的？"他很平静地说："人的一生主要是'过去'和'未来'，'现在'很短暂，已经过去的事，还想它做什么？

一六〇　启功先生从教七十周年学术座谈会

一六一　启功书画展开幕式

一六二　启功与内侄章
　　　　景怀、内侄孙
　　　　女王悦在美国
一六三　启功与内侄孙
　　　　章正
一六四　章正十岁了。
　　　　左起：内侄媳
　　　　郑喆、内侄孙
　　　　章正、启功。
一六五　启功与孙辈们
　　　　在一起

要多想未来。我幼年丧父，中年丧母，老年又失去老伴，没有子女，但很舒服，什么牵挂也没有了！当右派不许我教书，我因祸得福，写了许多文章……幸亏有那么多曲折，让我受到了锻炼。一个人的思想形成，有许多因素，遇到挫折，我不生气。我最反对温习烦恼，自找不痛快干什么！"

如今已经九十一岁高龄的启功先生，仍然思维敏捷，精神矍铄。他还带着博士研究生，按时在书房给他们上课、答疑。他每天要借助高倍放大镜读书看报，关心国家大事。因白内障和黄斑病变严重影响视力，他已很难用毛笔写字，就用硬笔写文章或随笔。在2003年春夏之交全国人民抗击非典期间，他还用硬笔写了长诗，表达了战胜非典的信心和决心。由于目疾影响，他行动不便，目前已很少接待客人，出行、开会要借助轮椅。

他的弟子赵仁珪教授曾写有祝寿诗一首，是启功先生近期生活的写照：

老而弥健寿弥高，十秩初开气正豪。
白障黄斑空碍眼，宏文墨宝不揑刀。
一扬二益春秋住，两枕三杯日月消。
更得孟尝颐养法，新添二窟不藏娇。

六　坚净居逸事

六　坚净居逸事

1. 永恒的纪念

由于傅增湘先生的推荐，启功始得认识陈垣先生，几十年来他念念不忘傅先生的恩惠，时常想为恩师做一点事。20世纪90年代初，他亲自编辑出版了傅先生的《藏园老人遗墨》和《藏园游记》，了却了这个心愿（图一六六）。

启功自1933年跟随恩师陈垣先生从教，在此后四十余年的交往中，建立了"情如父子"的师生情谊，在求教、问学中保存了许多

一六六　1994年，启功亲自为恩师傅增湘出版诗集设计版式。

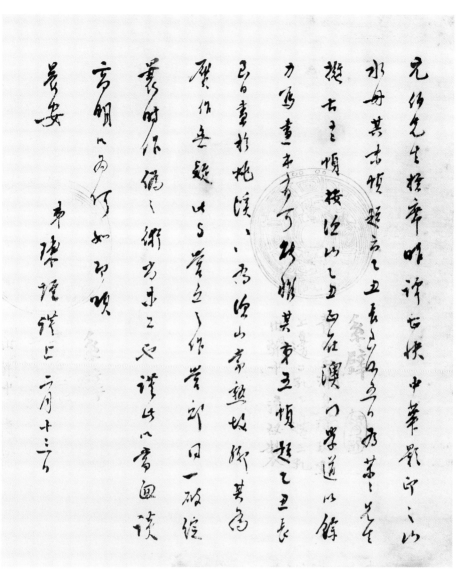

一六七　陈垣先生给启功的信函

陈垣先生的墨迹，经过"文化大革命"，还留有题跋一件、信函九通（图一六七），这是他们师生进行学术探讨的真实记录。

1963 年，陈垣先生曾把他珍藏的董述夫自书诗册页赠给启功，在扉页上题有一段跋文（图一六八）：

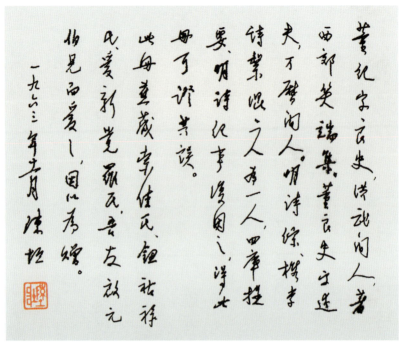

一六八　陈垣先生在赠给启功的董述夫自书诗册页上所题的跋文

董纪字良史，洪武间人，著《西郊笑端集》。

董良史字述夫，万历间人。《明诗综》、《携李诗系》混二人为一人，《四库提要》、《明诗纪事》复因之，得此册可证其误。

此册旧藏索佳氏、钮祜禄氏、爱新觉罗氏，吾友启元伯见而爱之，因以为赠。

一九六三年十一月　陈垣

2. 启功爱砚

启功先生喜欢好笔、好砚。他的书房藏有一块长方形的砚台，上有恩师陈垣题写的"元白用功之砚"六字（图一六九）。他也常常把他认为好用的笔砚送给朋友。1991年先生得到一方好砚，十分喜爱，吟诗一首："年七十九得此砚，磨墨适手书适腕。掌上浮云才一片，伴我几时姑且看。"不久，有朋友见到此砚，爱不释手，见此情景，

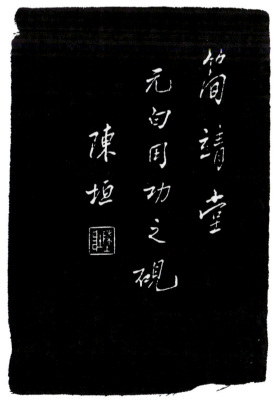

简靖堂

元白用功之砚

陈垣

一六九　元白用功
之砚

天上紫云割一片，巨匠斫雕成大砚。垂之不异锦绣段，彩毫濡染星文焕　启功题

一七〇　启功为北师大出版社大砚题写的砚铭

启功先生即慷慨相赠，这方砚在先生书房陪伴他还不到一年。

1994年，北京师范大学出版社新楼落成。为庆祝乔迁之喜，出版社在端州购得一方麻子坑紫石巨砚，重2.5吨，长2.2米，宽1.6米，高20厘米。全社职工提出一个共同愿望，请启功先生题砚铭。先生欣然命笔写道："天上紫云割一片，巨匠斫雕成大砚。垂之不异锦绣段，彩毫濡染星文焕。"（图一七〇）

巨砚现陈列在出版社大楼的大厅供大家观赏。启功先生为这镇社之宝题写砚铭，全社职工都引以为豪。

启功早年喜欢收藏古砚，曾集有砚影一册（图一七一～一七七）。近些年常有朋友送给他名砚。他说："我这小楼经不起重压。"把砚转送给了北师大出版社。目前出版社已代先生保存了大小砚台十余方。

由于喜欢好笔好砚，启功爱和制笔制砚的工人交朋友，山东的笔工李兆志、广东的砚工黄庆荣、四川的造纸工人曾树成，都是先生家中的常客。先生曾有一方常用小砚，下墨很快，他十分喜爱。后来这方砚不知怎么裂开了一条小缝。砚工黄庆荣知道后，拿去精心

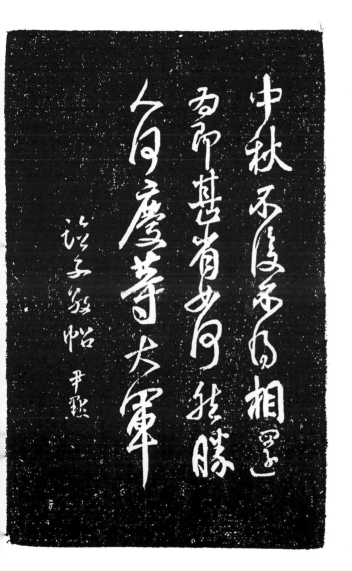

此沈尹默先生於硯背上臨中秋帖公子今昕

手鐫筆法刀法俱臻妙境孟士先生所貽

藏之篋中殆近十年今孟翁巳歸道山檢篋

見之悵然興己丑五月啓功

一七一　启功收藏的砚台拓片及所题砚铭之一

楊雪橋先生小影硯

後甘
年藏
次辛
七月丑
日拾五
得医
粘因
於之
冊傅

启功敬識

少詞
壯傲
晚岸
逴臣
世廿
可碎
流止
傳只
文字

芝圃七十歲小景
甲戌七月

一七二　启功收藏的砚台拓片及所题砚铭之二

王岫君製高山流水硯 啟功藏並拓

一七三 启功收藏的砚台拓片及所题砚铭之三

一七四　启功收藏的砚台拓片及所题砚铭之四

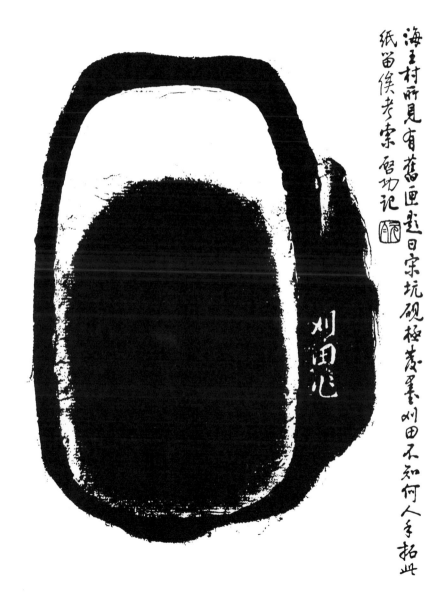

海王村所见有旧匣题曰宋坑砚极莹墨刘田不知何人手拓此纸留俟考索 启功记

一七五 启功收藏的砚台拓片及所题砚铭之五

一七六　启功收藏的砚台拓片及所题砚铭之六

一七七　启功收藏的砚台拓片及所题砚铭之七

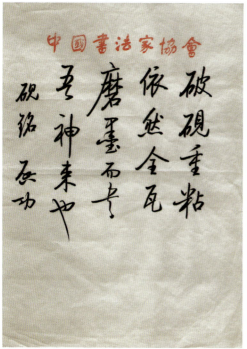

砚铭 辰功

磨墨而卡
依然全瓦
破砚重粘
吾神来也

一七八　粘补后的小砚及启功
　　　　题写的砚铭

粘补，一点裂纹也看不出来了。先生试磨墨后高兴地写下砚铭："破砚重粘，依然全瓦，磨墨而书，吾神来也。"（图一七八）先生喜欢雕工简洁、砚石细腻、下墨快的小砚，他说这才实用，最不喜欢雕龙刻凤、看着别致而不实用的装饰砚，他认为这种砚不实用又难清洗。他把使用笔墨纸砚的情况告诉制作工人，并给他们提出改进的建议。山东笔工李兆志根据启功先生的建议改进了制笔工艺，不仅笔好用了，而且成本也降低了。

3．小收藏

启功先生书案上和座椅旁摆放着他常用的一些什物，他很喜欢，每件器物都写了铭文，经常把玩。

龟形石镇纸（图一七九）铭：

　　块石天然六角，何时斧凿成龟。莫问从来踪迹，随人纸上游移。

"文化大革命"中启功患美尼尔氏症，头晕目眩，行走不便。1967年他花四元人民币买来木拄杖（图一八〇），至今仍不离身。木拄杖铭：

　　目眩头晕。左颠右顿。不用扶持，支以木棍。

一七九　龟形石镇纸

一八〇　启功先生和他的木拄杖

竹臂阁铭（图一八一）：

　　习敬跏趺当禅板。阁臂抄书力可缓。一节能持莫嫌短。

竹根印铭：

　　直根作印篆文古。钤书之范画之谱。未随猪肉果脏腑。

竹孙幸不忝厥祖。

布书袋铭：

　　手提布袋。总是障碍。有书无书，放下为快。

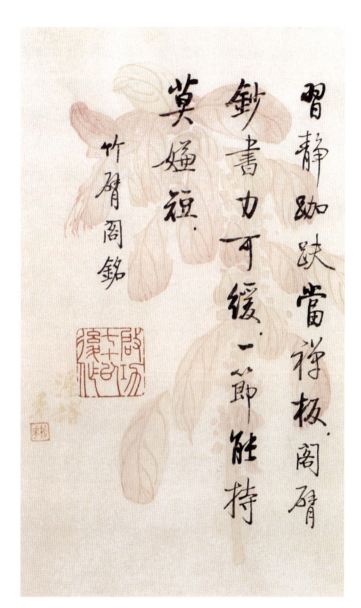

一八一 竹臂阁及铭文

小铜骆驼镇纸铭（图一八二）：

> 镇纸小铜骆驼，数年朝夕摩挲。静伏金光满室，助吾含笑高歌。

> （小铜驼购于日本鸠居堂已数年矣，日伏纸上助我学书，因颜斗室曰小铜驼馆。驼原作古青铜色，青绿斑斓似出土物，日夕持以压纸，其锈渐失，遂露黄铜本色。时日愈久，铜肤愈显光泽，今已可媲真金矣！辛未酷暑，坚净翁识，时年周七十又九。）

4."大熊猫病了"

20世纪80年代以后，启功先生在社会上的名气越来越大，后来他又担任中国书法家协会主席，有很多人找先生求字，先生说："人家要你的字，是看得起你，怎么能不给人家？"所以有求必应。随着他的社会兼职越来越多，登门拜访求字者也日益增多。公家要出国送礼的，私人要办喜事的，小孩子上学要用的，看病求医要用的，有的就说："我喜欢你的字要收藏。"认识的，不认识的，索字大军一批接一批，有时"浮光掠影楼"的三间小屋站满了人。有的人不但自己要字，还代朋友要字，代朋友的朋友要字。他备有一个厚本子，封面题"书债"二字，里面记满了索书人的姓名。但是本子换了一本又一本，书债总是还不完。有时一些人不管老先生身体状况如何，仍软磨硬泡，更有不知趣者要"立等取走"，真令老先生难以应付，十分烦恼。1983年漫画家华君武曾作有纪实漫画《时行的套圈游戏》和《立竿见影》记下了当时的情况（图一八三）。启功曾写过一首诗《友人索书并索画，催迫火急，赋此答之》，这是老先生被逼无奈而发出的心声：

> 来书意千重，事事如放债。邮票尚索还，俨然高利贷。
> 左臂行将枯，左目近复坏。左颧又跌伤，真成极右派。
> 鄙况不多谈，已至阴阳界。西望八宝山，路短车尤快。
> 拙画久抛荒，拙书弥疥癞。如果有轮回，执笔他生再。

在家中实在不得安宁，为了干些正事，启功只好躲进学校的招待所。时间不长，又有人发现紧追而来。后来启功只好躲进钓鱼台、

一八三　华君武为启功画的两幅漫画

京西宾馆，因为那里有武警站岗。久躲也不是事。他回到家后在门上贴了一张纸条："熊猫冬眠，谢绝参观，敲门推户，罚一元钱！"这个小条根本不起作用，没过两天就不知被谁偷偷揭下收藏了。以后他又换圆珠笔写："启功有病无力应酬，有事留言，君子自重。"用糨糊把纸条粘牢贴在门上。漫画家丁聪得知此情，画了一幅漫画，取名为《大熊猫病了》，赠给启功先生(图一八四)。

一八四 丁聪为启功画的漫画《大熊猫病了》

5. 无言的鉴定

在书画鉴定界，流传有不少关于启功先生鉴定书画的趣闻。香港有朋友花高价购买了几件古代书画，为了安全，在银行里租了保险箱保存起来，趁启功到香港讲学的机会，请他欣赏并鉴定真伪。启功看后对那位朋友说："你赶快取出来吧！这东西还不如你租保险箱的钱多！"又一次香港举行书画拍卖会，其中有某名家的字画拍卖。有位朋友想买一幅。启功浏览一番，看见鱼龙混杂，朋友想要买的那件是赝品，正想回去建议他别买，走到出口时却见那位朋友迎面

一八五　北京师范大学文物博物馆收藏的甲骨文

走来。这时启功不好当面点破，便主动伸手和朋友握手。他紧紧握住，左右一摇，那位朋友心领神会，终未上当。

6. 北京师范大学的两件宝

北京师范大学有两件珍贵的文物，一是北京师范大学文物博物馆收藏的甲骨文(图一八五)；二是北京师范大学图书馆收藏的三千多种地方志。它们都是启功先生经手购藏的。解放前，有一位收藏家王先生的安徽同乡要处理这批收藏，启功先生得到消息后，觉得这些文物和书籍十分珍贵，便及时找到余嘉锡先生，建议由辅仁大学买下来。余嘉锡先生和陈垣校长、沈兼士先生研究后当即拍板，由学校拿出六十两黄金把这批甲骨文和地方志购买下来。北京师范大学与辅仁大学合并后，甲骨文收藏在北京师范大学历史系，地方志存在图书馆。2000年北京师范大学文物博物馆成立，甲骨文由文博馆收藏。

一八六　启功与钟敬文

7. 诗友情深

启功和钟敬文先生在中文系共事五十多年，交谊很深，常有诗词唱和（图一八六）。值得称颂的是，钟老在九十五岁高龄时，曾赋诗二首（图一八七），亲自送给启功，为八十五岁的老弟祝寿：

> 诗思清深诗语隽，文衡史鉴总菁华。
>
> 先生自拥千秋业，世论徒将墨法夸。
>
> 长忆敲诗小乘巷，千金一字信吾师。
>
> 世间酒肉多征逐，俗态纷纷岂足嗤。

启功收到钟老的诗，心情激动，当即奉答（图一八八）：

> 文字平生信凤缘。毫锥旧业每留连。
>
> 荣枯弹指何关意，寒燠因时罔溯源。
>
> 揽胜尚矜堪撰杖，同心可喜入吟笺。
>
> 樽前莫话明朝事，雨顺风调大有年。

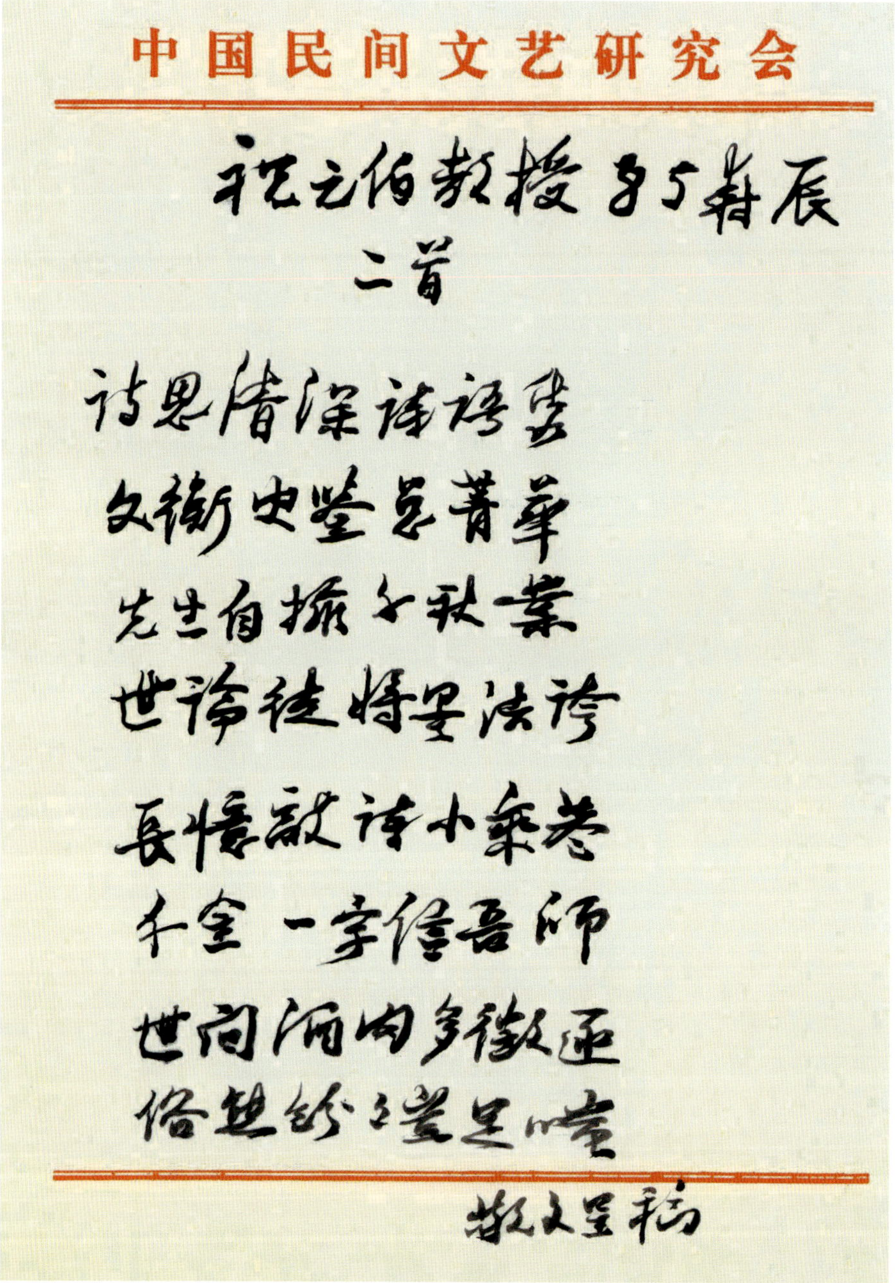

中国民间文艺研究会

祝元伯教授85寿辰
二首

诗思情深诗语华
文衡史鉴总菁华
先生自撰千秋业
世论徒将书法夸

长情敬诗小秦卷
千金一字信吾师
世间河内多徽逐
俗共纷纷鉴是非

敬文呈稿

一八七　钟敬文写给启功的祝寿诗

鍾敬文先生惠祝賤辰，次韻奉答

文字平生信夙緣。毫錐舊業每留連。榮枯彈指何關意，寒燠因時罔溯源。攬勝尚矜堪撰杖，同心可喜入吟箋。樽前莫話明朝事，雨順風調大有年。樽前七字韋端己句，雨順四字大賜福劉開場句也。

一八八　启功写给钟敬文的和诗

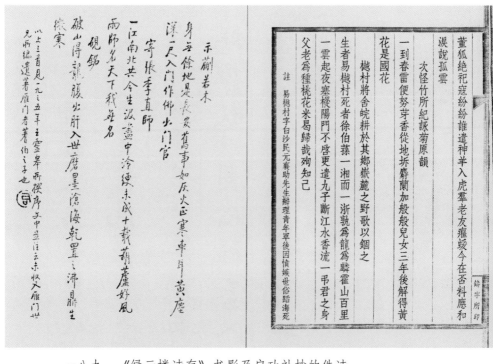

一八九　《绿云楼诗存》书影及启功补抄的佚诗

他们都喜爱韩著伯的绿云绝句。韩著伯名韩衍，字著伯，因反对袁世凯卖国而被袁暗杀。钟、启二老为寻诗还有一段佳话。

1982年，钟敬文先生出差去上海，有一天在上海古籍书店发现一本《绿云楼诗存》。他知道启功先生也在寻找此书，喜出望外，立即买了下来，并作绝句二首：

扫除天下英雄志，铁弹无情巨栋摧。

自是胸中富灵气，嘘成朵朵彩云飞。

昔日连城窥片羽，奇情壮采拨心弦。

申江今喜收全豹，不负穷搜过册年。

钟先生把诗集连同他撰写的绝句一并拿给启功看，启功十分高兴，把钟先生的诗过录下来，并加注："余与敬老同爱绿云绝句，求其集苦不得。敬老一旦获此，欣喜欲狂，以题句见示，因为录之。"

启功看完《绿云楼诗存》，发现十处地方有误字，便一一用朱笔小楷校正。有他知道的三首诗被这本集子漏掉了，又补抄出来，复印后请钟老过目（图一八九）。

8. 沉灾共淡　爱国之俦

1991年夏天，我国部分地区发生了特大洪涝灾害，灾情牵动着亿万人民的心。启功先生不止一次地对笔者说："我们民族是多难的，这场灾害对我们是一次考验。"当他得知国家十年减灾委员会成立了救灾捐赠接收办公室的消息后，立即通知笔者，从他写字的收入中拿出一万元送到接收办公室。他说："一个人的力量是微薄的，团结起来就一定可以战胜自然灾害。"随后，中国书法家协会也举办书法家赈灾义卖活动。那时已进入8月连续高温的暑期，他不顾酷暑，亲自送去两件书法作品参加义卖，售出一万元。接着他又参加了荣宝斋的义卖活动，精心创作朱竹墨竹各一幅，售出2.4万元。他又亲临中央文史馆举办的赈灾义卖展现场，当场挥毫写下"立民族志，先天下忧，沉灾共淡，风雨同舟，解囊之士，爱国之俦"（图一九〇）。这充分表达了老先生对灾区人民的一片心意，也反映了全国人民自力更生、团结协作、共同战胜灾难、重建家园的信心和决心。他的这幅即席之作，连同他挂在展厅上的其他四幅作品当即被人认购，得到救灾款2.8万元。8月下旬，全国政协又举办赈灾捐献活动，

一九〇　1991年夏，启功为中央文史馆举办的赈灾义卖展书写的条幅

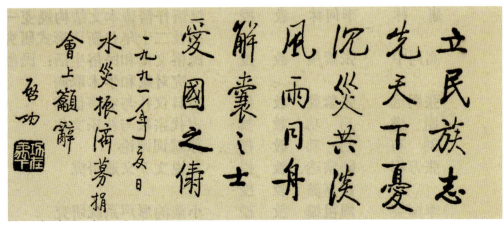

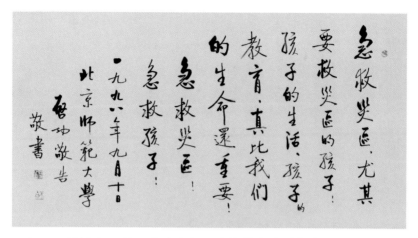

一九一　1998年9月，启功为长江流域特大洪涝灾害赈灾活动题词

先生又送去两件作品，其中有一件是在他保存多年的黄绫上书写的，换得救灾款二万元。是年启功先后捐款近十万元。他说："我们做了自己应该做的事，真是'一方有难，八方支援'，这是我们中华民族的传统美德，多难兴邦，这次洪涝灾害让我们经受了考验。"

1998年，我国长江流域再次遭遇特大洪涝灾害。中国佛教协会首先举办赈灾书画义卖活动。启功先生和赵朴初先生同时亲临广济寺，当场挥毫。接着连续几天，他又出席了全国政协、中央文史馆、荣宝斋的义卖活动，共捐献作品二十余件。当他在报上看到灾区许多学校被淹，孩子无法上学时，在一件作品里写道："急救灾区，尤其要救灾区的孩子！孩子的生活，孩子的教育，真比我们的生命还重要！急救灾区！急救孩子！"(图一九一)这幅作品当场被人认购。

9. 启功不"走穴"

有位税务杂志的记者，出于职业的思考，很想知道启功这位"当今书画第一人"是如何富有？会不会像名歌星、名影星那样，也常常被人请去"走穴"呢？他怎么纳税呢？为了弄个明白，这位记者便要求采访启功先生。启功先生对国家的税收政策是很关心的，听说记者要来采访，欣然同意。他对公民依法纳税有自己独到的见解。他说："税务问题我听说过，有些人不上税，个人所得税流失的不少。看得见的收入收上来了，看不见的收入就流失了。可我自己也没去缴过，我也不知道在哪儿缴，不知道税务局的门冲哪儿。我写的字有人喜欢，有人要，给我点报酬，我都交给学校，学校专门有人负责我的这些事情。我一个人也跑不过来，有许多事都是求侯先生帮忙替我办，比如人家找我写字，把钱交给侯先生，侯先生替我收，替我上税。我是教书的，副业是写写字。艺人有一句话'走穴'，艺人中有唱歌的'走穴'，也有唱曲艺的'走穴'，我没走过穴，也不知道人家给'走穴'的什么报酬，缴不缴税，缴多少，怎么个缴法，我自己都不知道。要是单说我们应该纳税，这个道理谁都知道，国家有税收政策，有的收入到一定数额都要上税。我作过两届书协主席，关于卖字'走穴'的有没有，我不知道。我腿不行，眼睛也糟糕，现在连写字都很困难，天亮的时候，开开灯，大字还能写，写小字就迷糊，一、二、三的三，第三横就能落在第二横上，所以我也走不了穴，这不是我清高啊，也不是我主张要符合国家税收政策啊怎么怎么样，如果说启功很主动缴税，这就麻烦了，那同行们就会对我有看法了，就你自己吹，你好，这个我受不了。"

其实，启功先生写字卖的钱都是由校方指定财务部门代收的，代收钱代扣税以后再给先生。有时候一些朋友求先生写字，作为感谢或礼品送来红包，里面装着几千块或上万块钱，先生总是打电话找笔者到家里去一趟，把这包钱送到财务科给登上记，给人家开了收据，再给先生开缴税单，代扣多少税，让先生过目。

现在外边模仿启功先生字的人，各处都有，还有人自称是启功弟子去欺骗别人。其实启功先生多次声明，他从来没有书法弟子，只有中文系的学生。市面上假字很多，但是荣宝斋本店门市部没卖过他的假字。荣宝斋很谨慎，他们都是直接到家里来拿字，卖出时按率缴税。不仅代扣税款，同时还要扣除手续费，剩下的钱才给先生送来。扣多少税，收多少手续费，给先生剩多少钱都有收条和明细单据。

启功先生说："人人履行纳税义务，对国家对自己都有好处。一贪污多少万，还得查，贪污的人不会上税呀。如果人人严格遵守国家的税法，使纳税人的钱能真正地落在实处，更好地造福于社会，那来书拜读，阅信雅意，十分感荷！现在流行伪造书画事，更有因人伪造自书而一再涉讼之事。按有人作伪，可见其笔墨必有人欣赏收购，此正惭愧不暇者，而涉讼之余，有时误将己作之稚劣者认为伪作，反[illegible]，反成笑柄。去年有友人相晤时言，藏有鄙书一幅，拟令我鉴定真伪，当即答云，请看其字，写得好的即是假的，写得坏的即是真的。在场之人莫不大笑。且人生几何，身后有人千[illegible]万百伪造，又将奈何！功于此事，只持自勉之志。如我写的字都能如二王颜柳以至苏黄赵董，则作伪者亦必[illegible]启功字[illegible]若干倍。其[illegible]易于[illegible]，我亦可省诉讼费用矣。我

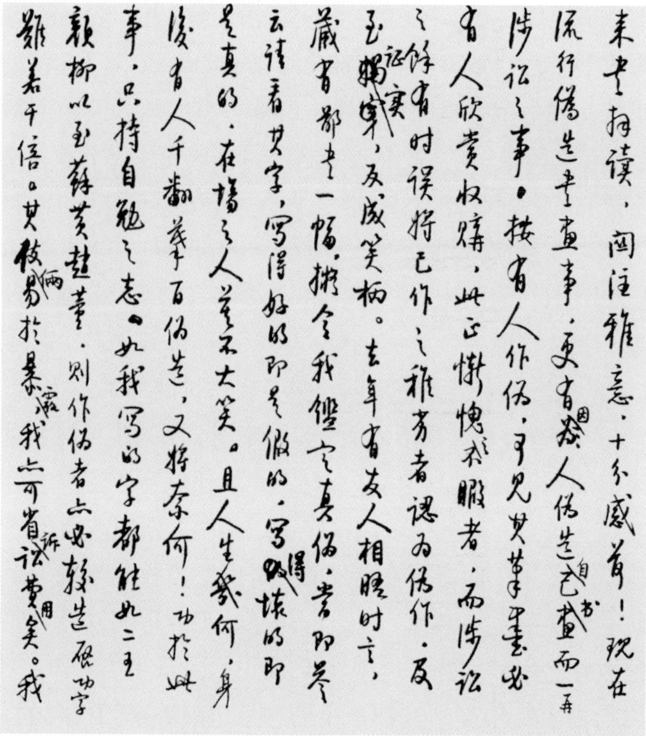

一九二 启功给一位年轻人的回信（片断）

就好了。”

启功先生的一席话，让我们看到了他对国家、对人民的赤诚之心、挚爱之心。

10．启功不“打假”

有一天，启功先生到荣兴画廊参观，见画摊上摆满了现代名人字画。有赵朴初、董寿平、启功等人的作品，每个摊位上都有，且有的在批发。一位摊主是老太太，见启功进来，对旁边的人说：“这老头好，这老头不捣乱。”（意不找他们的麻烦）启功先生知道市面上冒他的名的赝品很多，有不少朋友建议追查，他却不同意。有一位青年人写了长信，对这种现象给予批评，并诚恳地建议启功先生追查。先生曾亲笔写了回信（图一九二），现摘要如下：“去年有友人相晤时言，藏有鄙书一幅，拟令我鉴定真伪，当即答云，请看其字，写得好的即是假的，写得坏的即是真的。在场之人莫不大笑。且人生

一九三　近几年启功先生年事已高，又患目疾，写字已很困难，他
　　　　就口述录音，然后请研究生帮助整理。图为启功先生正在
　　　　讲《启功韵语》的注释。

几何，身后有人千翻摩百伪造，又将奈何！功于此事，只持自勉之志。
如我写的字都能如二王颜柳以至苏黄赵董，则作伪者亦必较造启功
字难若干倍。其伎俩易于暴露，我亦可省诉讼费用矣。"

　　11. 启功声明

　　近两年来，启功先生目疾未愈，不能用毛笔写字，但他仍不停
地写作，口述录音以后，请研究生帮助整理成文章（图一九三）。有
些单位或个人需要牌匾或书签，征得先生同意后就从启功先生过去
写过的书法作品中集字。有的未经同意即集成题词、校训一类的内
容，先生感到不妥，便亲笔写了一个声明（图一九四）：

　　　　鄙人眼疾未愈，不能题字，朋友或用旧时书件集字，

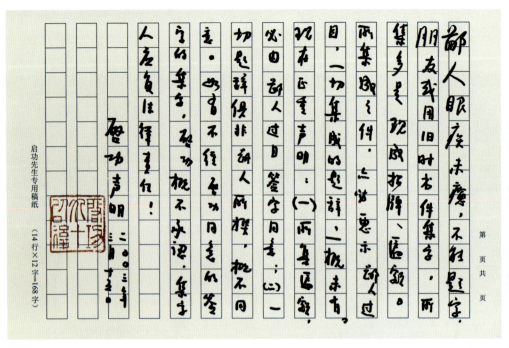

一九四　启功声明

所集多是现成招牌、匾额。所集成之件，亦必惠示鄙人过目，一切集成的题词一概未有。现在郑重声明：

（一）所集匾额，必由鄙人过目签字同意；

（二）一切题词俱非鄙人所撰，概不同意。如有不经启功同意的签字的集字，启功概不承认，集字人应负法律责任！

启功声明

二○○三年三月十五日

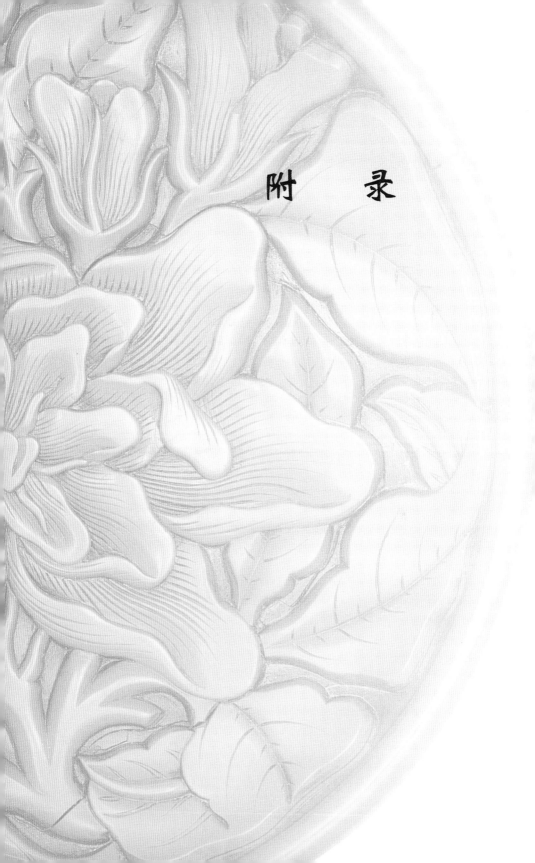

附 录

（一）　生平简表

启功，姓爱新觉罗，字元白，满族，1912年生于北京，现为北京师范大学中文系教授、博士生导师，兼任中国人民政治协商会议全国委员会常务委员、国家文物鉴定委员会主任委员、中央文史研究馆馆长、中国书法家协会名誉主席。

1912年（壬子）7月26日生于北京

启功的先祖是清朝雍正皇帝的儿子，排行第五，名弘昼，封和亲王。其后代逐渐从王府中分离出来，至启功曾祖时，家族已失去门荫，要通过科举找出路了。曾祖溥良考中进士，入翰林，清末曾任礼部尚书、察哈尔都统。祖父毓隆也是翰林出身，为典礼院学士，曾任学政、主考。

1913年（癸丑）1岁

父亲去世，随祖父生活。为祈福，祖父让他拜雍和宫的一位老喇嘛为师，做记名的小喇嘛，取名"察格多尔札布"（是金刚佛母保佑的意思）。当时正是"辛亥革命"之后，其曾祖不愿居京城，以示不再过问国事。恰其曾祖有一门生陈云诰，亦是翰林，家为河北易县首富，广有资财，于是出资在易县城中购买房舍，请其曾祖居住。曾祖乃携家人迁居易县，启功时年方三四岁。稍后，入私塾学习诗文。

1922年（壬戌）10岁

曾祖去世。家业因偿还债务而衰落。

1923年（癸亥）11岁

祖父去世。家中变卖世藏书画以作殡葬费用。当时母亲克连珍和尚未出嫁的姑姑恒季华都年仅二十余岁，便挑起家庭生活重担。恒季华为了教养这一线单传的侄子成人，毅然终身不嫁。

1924年（甲子）～1926年（丙寅）12岁至14岁

在北京汇文小学和汇文中学读书。幼年启功看到祖父书房墙上挂有大幅山水是叔祖画的，又见祖父拿过小扇画上竹石，几笔而成，感到非常奇妙，便产生"做一个画家"的愿望。他在学校的习作，曾被学校选为礼品赠送给知名人士。

1927 年（丁卯）～1929 年（己巳）15 岁至 17 岁

由长辈带领，拜贾羲民（尔鲁）先生学画。贾先生博通书史，对于书画鉴赏也极有素养。他常带启功到故宫博物院看陈列的古代书画，有时还和一些朋友随看随加评论。这些活动使启功深受启迪和教育。启功想多学些画法技巧，贾先生又将他介绍给吴镜汀（熙曾）先生。吴先生教授画法极为耐心，使启功长进很快。

1930 年（庚午）18 岁

经老世交介绍，从戴姜福（绥之）先生学习中国古典文学，习作旧诗词。

1932 年（壬申）20 岁

与章宝琛完婚。章氏也是满族，长启功两岁。为维持生活，启功教家馆，有时也作书画卖钱。

1933 年（癸酉）21 岁

经傅增湘先生介绍，受教于陈垣（援庵）先生。陈垣先生看过他的作品，认为"写作俱佳"，便安排他在辅仁大学附属中学任初中一年级"国文"教员。

1935 年（乙亥）23 岁

任辅仁大学美术系助教，业余从事书画创作。

1938 年（戊寅）26 岁

任辅仁大学国文系讲师。抗战胜利后兼任故宫博物院专门委员，负责文献馆审稿和鉴定文物。

1949 年（己丑）37 岁

任辅仁大学国文系副教授兼北京大学国文系副教授。

1952 年（壬辰）40 岁

全国高等院校进行院系调整，辅仁大学与北京师范大学合并，任北京师范大学中文系副教授，讲授古典文学。同年加入"九三"学社，被选为"九三"学社北京分社委员，后又被选为北京市政协委员。此后曾与向达、王重民、周一良、曾毅公、王庆菽诸人标点敦煌变文俗曲。稍后又为人民文学出版社出版的《红楼梦》程乙本作注释，这是建国后首次出版的《红楼梦》注释本。

1957 年（丁酉）45 岁

应文化部邀请，在故宫博物院参加回收流散海外文物如唐代韩滉《五牛图》等书画作品的鉴定。

母亲和姑姑相继去世。

1958 年（戊戌）46 岁

在中国画院被补划为"右派"。

1962 年（壬寅）50 岁

撰写完成《古代字体论稿》和《诗文声律论稿》两本书稿。

1963 年（癸卯）51 岁

撰写了《读〈红楼梦〉札记》。

1964 年（甲辰）52 岁

7 月，《古代字体论稿》由文物出版社出版。

1966 年（丙午）54 岁

"文化大革命"爆发，一切公开的读书写作活动被迫中止，但私下里治学不辍，专心撰写《诗文声律论稿》。由于他精通书法，常被造反派命令抄写大字报。

1971 年（辛亥）59 岁

参与中华书局组织标点《二十四史》和《清史稿》的工作，负责标点《清史稿》，与王钟翰先生共同完稿。

1975 年（乙卯）63 岁

夫人章宝琛逝世，享年 65 周岁。

1976 年（丙辰）64 岁

粉碎"四人帮"之后，北师大恢复招生，重登讲台。

1977 年（丁巳）65 岁

11 月，《诗文声律论稿》由中华书局出版。

1978 年（戊午）66 岁

"文化大革命"后落实政策，重新被聘为教授。

1980 年（庚申）68 岁

当选为"九三"学社中央委员。

1981 年（辛酉）69 岁

12 月，《启功丛稿》由中华书局出版。中国书法家协会成立，被推选为副主席。

1982 年（壬戌）70 岁

被聘为北京师范大学古典文献专业硕士生导师。任北京市政协委员、北京市民族事务委员会委员。北师大建校八十周年之际，由北师大录制的《启功先生讲书法》录像带完成。首次出访香港。

1983 年（癸亥）71 岁

3 月，应日本中国文化交流协会邀请，在东京举办"启功书作展"。在北京接待种谷扇舟为首的日本书法代表团，并陪同代表团到山东曲阜参观。

参与文化部文物局组织、由七位专家组成的中国古代书画鉴定组，负责甄别、鉴定北京及全国各大博物馆收藏的古代书画作品的真伪。

1984 年（甲子）72 岁

被聘为博士研究生导师。被选为中国书法家协会主席。

1985 年（乙丑）73 岁

2 月，《启功书法选》由人民美术出版社出版。

3 月，在故宫博物院参加海外回流文物王安石书《楞严经要旨》卷及宋龙舒本《王文公文集》的鉴定。《论书绝句》由商务印书馆（香港）出版。

4 月，《启功书法作品选》由北京师范大学出版社出版。

7 月，出席《中国美术分类全集》编辑工作会议并被聘为主编。

9 月，应香港中文大学邀请，赴香港讲学，并举办"启功书法展"。

10 月，被文化部聘为国家文物局鉴定委员会委员。

同年暑假期间，为祝贺第一个教师节，作幅长一丈二尺的《竹石图》，由北京师范大学珍藏。又应中央电视台之邀，作《苍松新筜图》，向全国教师祝贺春节。

1986 年（丙寅）74 岁

3 月，出席国家文物鉴定委员会成立大会，并在开幕式上讲话。应香港书学会邀请赴港访问、讲学，后应新加坡书学协会邀请赴新加坡访问。

《书法概论》（主编）由北京师范大学出版社出版。同年被聘为国家文物鉴定委员会主任委员。从本年起，连任全国政协第五、六、七、八、九、十届常委，并兼任书画室主任。

1987 年（丁卯）75 岁

3 月，在中国历史博物馆参加国家文物鉴定委员会鉴定会，鉴定青岛文管会送鉴的山东即墨、胶县发现的北宋庆历四年(1044 年)何子芝造金银字《妙法莲花经》七卷。

中国人民对外友好协会和日本日中友好协会联合举办"启功·宇野雪村巨匠书法展"，7 月在北京展出，10 月在东京展出。

1988 年（戊辰）76 岁

4 月，应荣宝斋（香港）有限公司邀请，赴港主持大型画展开幕式并作书画鉴定。

为北京师范大学举办的全国首届书法教师讲习班授课，并录音录像，以后由北京师范大学出版社制成《书法教学》录像带出版。

1989 年（己巳）77 岁

3 月，赴日本出席上条信山从事书法艺术六十周年纪念会，并参观上条信山书法作品展。

8 月，《启功韵语》由北京师范大学出版社出版。

1990 年（庚午）78 岁

1 月，李可染先生逝世，国家文物鉴定委员会就其作品出境管理标准请示启功先生，先生拟议："李可染画遗留不太多，精品不少，建议宜放在第一类管理范围，即除特许外，一律不准出境。"

6 月，《论书绝句一百首》由北京三联书店出版。

8 月，在中国历史博物馆参加美籍华人战临川在美国诉讼所需鉴定文物的鉴定。出席在山东烟台、蓬莱召开的国家文物鉴定委员会年会，并向19位委员颁发聘书。

12月，为设立"励耘奖学助学基金"，在香港举办"启功书画义卖展"。

《说八股》由北京师范大学出版社出版。

《启功草书千字文》由中国和平出版社出版。

1991年（辛未）79岁

该年夏天，我国部分地区发生特大洪涝灾害，启功积极参加赈灾义卖活动，捐献作品多幅。

9月，赴日本东京、大阪访问，参观大阪博物馆收藏的中国书画珍品。

10月，在中国历史博物馆主持鉴定江西吉水县文天祥后裔所藏有关文天祥的文物，其中文天祥的墨迹手札最为珍贵，属一级文物。

11月，将义卖字画所得163万余元全部捐给北京师范大学，设立"励耘奖学助学基金"。

12月，《汉语现象论丛》由商务印书馆（香港）出版。

1992年（壬申）80岁

全国政协、北京师范大学、荣宝斋联合举办《启功书画展》，先后在北京、广州和日本展出。

《启功论书札记》、《启功书画留影册》由北京师范大学出版社出版。

被聘为中央文史研究馆副馆长。

1993年（癸酉）81岁

10月，赴日本参加牛头明王瑞像在日本八王寺举行的开光法会。

《荣宝斋画谱第91期——山水花卉·启功专集》由荣宝斋出版社出版。

1994年（甲戌）82岁

9月，为庆祝中韩建交两周年，应韩国东方画廊邀请，赴韩国进行书画交流。荣宝斋与韩国东方画廊联合举办"启功·金膺显书法联展"，先后在北京和汉城展出。

《启功絮语》由北京师范大学出版社、虚白斋（香港）出版。

1995 年（乙亥）83 岁

应韩国总统金泳三邀请，参加中国代表团访问韩国，为促进中韩友谊创作书画作品多幅。

《启功论书绝句一百首》由荣宝斋出版社出版。

《汉语现象论丛》出版后，引起文学界和语言学界的积极反响，北京师范大学于 11 月召开了"启功先生《汉语现象论丛》学术研讨会"，并由文物出版社出版了论文集。

1996 年（丙子）84 岁

3 月，应香港书学会的邀请赴港访问和讲学。

6 月，《启功韵语》（第二版）由北京师范大学出版社出版。

10 月，赴美、德、法三国访问，参观三国国家博物馆所藏中国书画珍品。

12 月，在北京参加陕西早期唐墓出土的印刷品鉴定会。

1997 年（丁丑）85 岁

3 月，《汉语现象论丛》由中华书局出版。

4 月，中央文史研究馆组织书画代表团赴新加坡，举办中央文史馆馆员书画作品展，启功先生任团长。

6 月，《启功书话》即《论书绝句一百首》日文译本由日本二玄社出版。

10 月，应香港商务印书馆邀请，赴香港出席庆祝香港回归祖国暨商务印书馆建馆一百周年活动，为香港回归创作书画作品多件。

12 月，《论书绝句一百首》（第二版）由北京三联书店出版。

1998 年（戊寅）86 岁

7 月，应中国书法家协会中央国家机关分会的邀请，为该会书法爱好者举办书法讲座。

8 月，我国南方洪水泛滥，启功先生分别参加了全国政协、中央文史研究馆、中国佛教协会、荣宝斋举办的赈灾书画义卖活动，捐献多幅作品参加义卖。

9 月，应日本日中友好会馆的邀请，赴日本访问，参加日中友好会馆建馆十周年庆祝活动，并举办"启功书法求教展"。其间访问了三井文库听水阁，鉴赏三井先生收藏的中国历代法书、拓本，访问了群马县上毛新闻社。

12月，应最高人民法院要求，国家文物鉴定委员会组织专家对其送鉴的《张大千仿石溪山水图》进行鉴定，启功先生出席并参加鉴定。

《当代书法家精品集——启功卷》由河北教育出版社和广东教育出版社联合出版。

1999年（己卯）87岁

3月，《古代字体论稿》由文物出版社再版。

7月，《启功赘语》由北京师范大学出版社出版。《启功丛稿》增补后分《论文卷》、《题跋卷》、《诗词卷》，由中华书局再版。

9月，应中国书法家协会中央国家机关分会的邀请，为该会书法爱好者举办第二次书法讲座。

10月，国务院聘请启功先生担任中央文史研究馆馆长。北京师范大学举行"启功学术思想研讨会"。

11月，应中国书法家协会邀请，出席"辽河碑林"开幕式，为"辽河碑林"剪彩。

12月，应美国大都会博物馆邀请，赴纽约出席"中国艺术精华研讨会"，发表论文《画中龙》。回国途中再次访问香港。

2000年（庚辰）88岁

7月，《启功学术思想研讨集》由北京师范大学出版社和中华书局联合出版。

9月，《启功三帖集》由北京师范大学出版社出版。

2001年（辛巳）89岁

4月，《启功论书法》由文物出版社出版。

6月，获文化部颁发的"兰亭终身成就奖"，奖金八万元，捐赠给北京师范大学为贫困生设立的励耘实验班的学生。

7月，《启功书画集》由文物出版社、北京师范大学出版社联合出版。

2002年（壬午）90岁

5月，赴扬州讲学。

6月，获文化部颁发的"造型表演艺术创作研究成就奖"，奖金三万元，捐赠给北京师范大学为贫困生设立的励耘实验班的学生。

7月，《启功人生漫笔》由同心出版社出版。《诗文声律论稿》（修订版）由中华书局出版。"启功先生从教七十周年学术思想讨论会"在北京师范大学举行。7月26日是启功九十寿辰，全国政协在钓鱼台国宾馆设宴为启功祝寿。

9月，为庆祝北京师范大学建校百年及启功教授从教七十周年，北京师范大学举行"启功先生从教七十周年学术座谈会"，并在东方美术馆举办"启功书画展"。

11月，列席中国共产党第十六次全国代表大会。

12月，赴上海参观"晋唐宋元书画国宝展"，并出席"千年遗珍国际学术研讨会"。

2003年（癸未）91岁

3月，出席全国政协第十届全体会议，再次当选为全国政协常委。

（二）　著作系年

1953 年　启功注释的《红楼梦》程乙本由人民文学出版社出版。《在故宫绘画馆中学习》发表于《光明日报》1953 年 11 月 1 日。

1954 年　《在故宫博物院绘画馆中学习》发表于《文物参考资料》1954 年第 1 期。《谈〈韩熙载夜宴图〉》发表于《新建设》1954 年第 5 期。

1957 年　《关于法书墨迹和碑帖》发表于《文物参考资料》1957 年第 1 期。《敦煌变文集》（与王重民等合编）由人民文学出版社出版。

1962 年　《关于古代字体的一些问题》发表于《文物》1962 年第 6 期。

1964 年　《古代字体论稿》由文物出版社出版。

1965 年　《〈兰亭〉的迷信应该破除》发表于《文物》1965 年第 10 期。

1976 年　《论书绝句》在香港《大公报》连载。

1977 年　《诗文声律论稿》由中华书局出版。

1979 年　《笔谈建国三十年来的文物考古工作》发表于《文物》1979 年第 10 期。

1981 年　《鉴定书画二三例》发表于《文物》1981 年第 6 期。《启功丛稿》由中华书局出版。

1982 年　作《〈金禹民印存〉序》（1982 年 8 月作）。《启功先生讲书法》（录像带）由北京师范大学录制。

1983 年　《坚净居随笔·斜阳暮、望江南、苏诗中两疑字、池塘春草敕勒牛羊》发表于《学林漫录》第 7 集，1983 年中华书局出版。《杆儿》发表于《文史》第 19 辑，中华书局 1983 年出版。《〈欧斋石墨题跋〉

序》发表于《故宫博物院院刊》1983年第3期。《也谈王勃〈杜少府之任蜀州〉诗》发表于《文学遗产》1983年第4期。《论怀素〈自叙帖〉墨迹本》发表于《文物》1983年第12期。《蓝玉崧书法艺术的解剖》发表于《新华日报》1983年12月7日（1984年2月20日《人民日报》转载，改题《蓝玉崧的书法艺术》，有删增）。

1984年　1984年1月作《〈碑别字新编〉序》。《坚净居随笔·款头诗、坡词曲解》发表于《学林漫录》第9集，中华书局1984年出版。

1985年　《创造性的新诗子弟书》发表于《文史》第23辑。《记饮水词人夫妇墓志铭》发表于《文史》第24辑。《谈诗书画的关系》发表于《美术文集》（上海中国画院成立廿五周年纪念）。《"上大学"》发表于《风云录》，北京师范大学出版社1985年出版。《坚净居随笔·〈杜家立成杂书要略〉、〈东海渔歌〉书后》发表于《学林漫录》第10集，1985年5月。《坚净居随笔·新名词、捅马蜂窝、云汉、言法华、金圣叹文、汪容甫先生遗文、高且园先生诗》发表于《学林漫录》第11集，1985年8月。《有关文言文中的一些现象、困难和设想》发表于《北京师范大学学报》1985年第2期。《读〈静农书艺集〉》发表于《人民日报》海外版 1985年8月14日。《"秦汉简帛晋唐文书"专辑引言》发表于《书法丛刊》第10辑，文物出版社1985年出版。《我教唐宋段文学的失败》发表于《唐代文学研究年鉴》（1984年），1985年出版。《论书绝句》由商务印书馆（香港）出版。《启功书法选》由人民美术出版社出版。《启功书法作品选》由北京师范大学出版社出版。

1986年　《〈陈少梅画集〉序》发表于《迎春花》1986年第

　　　　　1 期。《记我的几位恩师》发表于香港《文汇报》
　　　　　1986 年 5 月 30 日。《书画鉴定三议》发表于《文物
　　　　　与考古论集》，文物出版社 1986 年出版。《书法概
　　　　　论》（主编）由北京师范大学出版社出版。

1987 年　《文言文中"句"、"词"的一些现象》发表于《北
　　　　　京师范大学学报》1987 年第 5 期。《恽南田的书髓
　　　　　文心》发表于《上海博物馆集刊》第 4 期（1987 年
　　　　　9 月）。《论笔顺、结字及琐谈五则》，发表于香港
　　　　　《书谱》1987 年第 5 期（此为启功主编、北京师范
　　　　　大学出版社出版的《书法概论》中作者所撰三节，
　　　　　抽刊于《书谱》）。

1988 年　《坚净居随笔·曾浓髯藏伪本〈定武兰亭〉、会文
　　　　　山房刻子弟书等三种、王渔洋手稿册跋》发表于《学
　　　　　林漫录》第 12 集，中华书局 1988 年出版。《说千
　　　　　字文》，发表于《文物》1988 年第 7 期。《〈叶遐庵
　　　　　先生书画集〉跋》，发表于香港《书谱》1988 年第
　　　　　4 期。《〈唐摹万岁通天帖〉书后》，发表于《辽海
　　　　　文物学刊》1988 年第 1 期（总第 5 期）。《书法教
　　　　　学》（录像带）由北京师范大学出版社出版。

1989 年　《启功韵语》由北京师范大学出版社出版。

1990 年　《平生风义兼师友——怀龙坡翁》发表于《名家翰
　　　　　墨》1990 年第 11 期，香港翰墨轩（出版社）出版。
　　　　　《论书绝句一百首》由北京三联书店出版。《说八
　　　　　股》由北京师范大学出版社出版。《启功草书千字
　　　　　文》由中国和平出版社出版。

1991 年　《坚净居随笔·自讼二则、知了义斋》发表于《学
　　　　　林漫录》第 13 集，中华书局 1991 年出版。《比喻与
　　　　　用典》发表于《中华书局八十周年纪念专刊》（1991
　　　　　年）。《说八股》发表于《北京师范大学学报》1991
　　　　　年第 5、6 期。《〈禅外说禅〉读后记》发表于张中

行著、黑龙江人民出版社1991年出版的《禅外说禅》。《汉语现象论丛》由商务印书馆（香港）出版。

1992年　《玩物而不丧志》发表于《读书》1992年第 2 期。《有关汉语现象的一些思考》发表于《文史知识》1992年第7期（此为《汉语现象论丛》一书前言，抽刊于《文史知识》，有增补）。《汪雨盦教授书展书后》发表于台湾报纸（名不详）。《亘古无双至宝是宝——记刘均量先生珍藏的恽、王合璧画册》，发表于1992年，发表刊物不详。《从〈戏鸿堂帖〉看董其昌对法书的鉴定》发表于《书法丛刊》1992年第3期。《启功论书札记》、《启功书画留影册》由北京师范大学出版社出版。

1993年　《溥心畬先生南渡前的艺术生涯》，1993年6月21日台北故宫博物院召开"张大千、溥心畬诗书画学术讨论会"提交论文。《我心目中的郑板桥》发表于《书法丛刊》1993年第3期。《文征明的原名和他写的落花诗》发表于《名家翰墨》1993年第5期。《南朝诗中的次韵问题》发表于《文史知识》1993年第7期。《荣宝斋画谱第91期——山水花卉·启功专集》由荣宝斋出版社出版。

1994年　《从〈戏鸿堂帖〉看董其昌对法书的鉴定》（修订稿）发表于《中日书法史讨论会论文集》，文物出版社1994年出版。《从单字词的灵活性谈到旧体诗的修辞问题》发表于《北京师范大学学报》1994年第6期。《启功絮语》由北京师范大学出版社、虚白斋（香港）出版。

1995年　《故宫古代书画给我的眼福》1995年11月发表于故宫博物院建院七十周年专刊。《启功论书绝句一百首》由荣宝斋出版社出版。

1996年　《"太白仙诗"辨伪》发表于《传统文化与现代化》

1996 年第 2 期。《〈徐无闻先生著作集〉序》发表于《光明日报》1996 年 5 月 4 日。《启功韵语》（第二版）由北京师范大学出版社出版。

1997 年　《启功书话》即《论书绝句一百首》日文译本由日本二玄社出版。《论书绝句一百首》（第二版）由北京三联书店出版。《汉语现象论丛》由中华书局出版。

1998 年　《当代书法家精品集——启功卷》由河北教育出版社、广东教育出版社联合出版。

1999 年　参观美国大都会博物馆并撰写论文《画中龙》。《古代字体论稿》由文物出版社再版。《启功赘语》由北京师范大学出版社出版。《启功丛稿》经修订增补后，分《论文卷》、《题跋卷》、《诗词卷》由中华书局再版。

2000 年　《读〈论语〉献疑》发表于《文史》第 50 辑，中华书局 2000 年出版。《启功三帖集》由北京师范大学出版社出版。

2001 年　《启功书画集》由文物出版社、北京师范大学出版社联合出版。《启功论书法》由文物出版社出版。

2002 年　《汉语诗歌的构成及发展》发表于《文学遗产》2002 年第 1 期。《〈文史典籍整理〉课程导言》、《"八病""四声"的新探讨》、《北京师范大学百年纪念私记》分别在《北京师范大学学报》（社会科学版）2002 年第 3、4、5 期发表。《谈清代改译少数民族姓名事》在《清华大学学报》2002 年第 4 期发表。《诗文声律论稿》（修订版）由中华书局出版。《启功人生漫笔》由同心出版社出版。

2003 年　《坚决扫除非典病疫》在北师大校报发表。

（编者注：凡中华书局 1981 年版《启功丛稿》收入的文章，本表均未收录。）

后记

　　我于1975年到北京师范大学工作，对启功先生的名望早有耳闻，但当时先生还在中华书局标点《清史稿》，没有机会相识。直到粉碎"四人帮"以后，启功先生完成了标点《清史稿》的任务回到北师大，我才在小乘巷86号小南房里与先生初次见面。先生平易近人、和蔼可亲、忠厚长者的风度给我留下了深刻印象。

　　1977年恢复高考以后，先生重登讲坛。这时他的社会兼职和社会活动日益增多，有许多与教学无关的事要先生处理，有各方面的社会活动要先生参加。20世纪80年代初，学校为了减轻他的负担，想给他配助手，他知道后坚决不同意，婉言谢绝了。他说："不能因为帮我办事，耽误了年轻人的学业和前途！"为了让老先生从繁琐的事务中摆脱出来，校领导就想了一个折衷的办法，由校长办公室帮助先生处理一些日常事务。我那时任校长办公室主任，有幸接受了这个任务，开始了与先生二十多年的忘年之交。

　　1987年，启功先生为纪念恩师陈垣先生，决定义卖书画，筹集励耘奖学助学基金。先生让我参加筹集工作，我和先生的接触就更多了。先生平日教学任务繁重，还要参加全国政协、中央文史馆、国家文物鉴定委员会的活动，有些事就安排在晚上做。我们每次谈完工作上的事，先生总要亲切地说："夜晚客来酒当茶！"亲自拿出两听啤酒和一小盘他爱吃的花生米，让我留下来"随便聊聊天"。在这种氛围里，我便很自然地也大胆地请先生讲他的身世，讲他童年、青年时代的坎坷往事，讲他勤奋自励、刻苦学习的经历以及他与恩师陈垣先生和一些学友的深厚情谊。进入20世纪90年代以后，我陪同先生去香港举行筹集励耘奖学助学基金的书画义卖展，又跟随先生几次出访日本，亲眼目睹了先生为传播中国文化、促进中日友好所做的工作。平时常有一些报刊的记者要求采访先生。在拗不过他们的再三恳求时，先生也曾答应他们的要求，但讲述的内容多与教学或书法创作、书画鉴定有关，我常有幸旁听。这本书的内容就是这样积累起来的。

在这二十多年与启功先生的交往中，先生不忘恩师、绵延师道的高尚品德，精深广博、贯通古今的学术造诣，因材施教、循循善诱的名师风范，豁达乐观、淡泊名利的无私胸怀，在外国人面前不卑不亢的高风亮节和爱国情操，在我的心目中树立了一位文化大师的高大形象。我无缘做先生在册的学生，没有在课堂上聆听过先生的教诲，但是先生的一言一行时时刻刻在教育和鞭策着我，潜移默化地影响着我，使我懂得了要老老实实做人，勤勤恳恳办事，踏踏实实学习。先生的言传身教，我终生受用不尽，他是我人生道路上的恩师。

这次文物出版社约我编写这本画传，开始我实在不敢承担，我深知要为先生这样博学多才、德高望重的大家作传，绝非我一人之力所能承担。在苏士澍社长的一再鼓励下，又得到了启功先生的应允，我才怀着崇敬的心情，把这些年积累的资料初步整理出来，呈献给热爱和关心先生的读者。这些年在先生那里受到的教诲，虽能感悟，但由于我的能力和水平的限制，难以全面、准确地表述出来。本书仅作为引玉之砖，希望研究启功先生的专家们，将来为先生写出更加完整翔实的传记。这是我衷心祈盼的！

在编写这本书的过程中，笔者得到了原北京师范大学党委书记李开鼎同志的关心和鼓励，北师大档案馆、陈垣研究室和启功先生的亲属章景荣、章景怀、郑喆以及马延玉、钟少华、赵俊杰诸位同志提供了极为珍贵的照片，谨向他们致以诚挚的谢意。

2003 年 12 月于北京师范大学

封面设计　张希广

责任印制　王少华

责任编辑　窦旭耀

图书在版编目（CIP）数据

启功／侯刚著.—北京：文物出版社，2003.12

（中国文博名家画传）

ISBN 7-5010-1550-3

Ⅰ.启…　　Ⅱ.侯…　　Ⅲ.启功-生平事迹-画册

Ⅳ.K825.72-64

中国版本图书馆 CIP 数据核字（2003）第 099667 号

中 国 文 博 名 家 画 传

启 功

侯 刚 著

＊

文 物 出 版 社 出 版 发 行

北京五四大街 29 号

http://www.wenwu.com

E-mail:web@wenwu.com

北京文博利奥印刷有限公司制版

文 物 出 版 社 印 刷 厂 印 刷

新 华 书 店 经 销

965 × 1270　　1/32　印张：7.5

2003 年 12 月第一版　2005 年 4 月第二次印刷

ISBN 7-5010-1550-3/K · 781　定价：60.00 元